Grandes Novelistas de la América Hispana

Grandes Novelistas de la América Hispana

II. LOS NOVELISTAS DE LA CIUDAD

Por ARTURO TORRES-RIOSECO

UNIVERSITY OF CALIFORNIA PRESS

BERKELEY AND LOS ANGELES · 1943

UNIVERSITY OF CALIFORNIA PRESS
BERKELEY AND LOS ANGELES
CALIFORNIA

❖

CAMBRIDGE UNIVERSITY PRESS
LONDON, ENGLAND

PRINTED IN THE UNITED STATES OF AMERICA
BY THE UNIVERSITY OF CALIFORNIA PRESS

ADVERTENCIA AL LECTOR

CON ESTE VOLUMEN—Los novelistas de la ciudad—*doy fin a mi obra* Grandes novelistas de la América Hispana. *Los tres tomos publicados por las Prensas de la Universidad de California forman un cuadro completo del desarrollo de la novela en nuestro continente.*

Este tercer volumen contiene seis ensayos sobre los novelistas de la ciudad, quienes se han mantenido fieles a la fórmula de la novela europea. Es muy probable que el lector extranjero prefiera las cualidades de orden literario de Díaz Rodríguez, Eduardo Barrios y Pedro Prado a la exaltación de los elementos primitivos y de las pasiones frecuente en las novelas de Gallegos y Rivera. De todos modos, los seis escritores aquí estudiados estarán siempre más cerca de la sensibilidad del lector europeo que los seis del tomo anterior, con lo cual no se gana ni se pierde nada.

El gran interés que los lectores norteamericanos están demostrando por nuestra literatura, evidenciado en la creación de nuevas cátedras universitarias sobre la materia y en la traducción de una gran cantidad de novelas, poemas y ensayos, justifica la extensión de mi obra sobre la novela. Por el momento existen traducciones al inglés de Arévalo Martínez, Eduardo Barrios, Manuel Gálvez, Mariano Azuela, Rómulo Gallegos, Ricardo Güiraldes, Carlos Reyles y José Eustasio Rivera; dentro de poco tenemos la seguridad de que se editarán en inglés obras de Benito Lynch, Joaquín Edwards Bello, Pedro Prado y Manuel Díaz Rodríguez.

La acogida dispensada a los dos tomos anteriores sobre la novela, así como a mi libro The Epic of Latin American Literature, *me hace confiar en el éxito de* Los novelistas de la ciudad.

Dejo constancia de mi agradecimiento al señor A. Rodríguez Ramón que tuvo la gentileza de preparar los índices de este libro.

A. T.-R.

Indice

RAFAEL ARÉVALO MARTÍNEZ
Página 3

EDUARDO BARRIOS
Página 21

MANUEL DÍAZ RODRÍGUEZ
Página 61

JOAQUÍN EDWARDS BELLO
Página 91

MANUEL GÁLVEZ
Página 137

PEDRO PRADO
Página 163

INDICE DE AUTORES
Página 201

INDICE DE OBRAS
Página 204

Rafael Arévalo Martínez

Rafael Arévalo Martínez

(1884–   )

HACE VEINTE años anunciaron los periódicos de Centro
América la muerte de Rafael Arévalo Martínez. Los que
habíamos leído su libro *El hombre que parecía un caballo,*
no nos sorprendimos, porque su novela revelaba un temperamento enfermizo, un sentimental mórbido, un loco.
Arévalo Martínez había estado en Nueva York poco antes
de mi llegada a esa ciudad y los amigos que le conocieron
íntimamente me lo describieron como un hombre dese-
quilibrado, aunque profundamente bueno. Salomón de la
Selva me dijo que una noche había llegado a su casa
pálido y temblando, sin poder articular palabra, y que
después de una media hora había logrado explicar el
motivo de su trastorno exclamando: «Acabo de ver una
cosa estupenda, una tragedia, algo macabro: he visto parir
a una gata». Pasada la crisis nerviosa, estuvo varios días
inquieto por lo que había visto. Su muerte fué anunciada
en febrero de 1920 y algunos amigos le dedicaron sentidos epitafios. Lo curioso del caso es que su nombre
siguió apareciendo en periódicos y revistas literarias al
pie de hermosas estrofas, y nadie sabía si algún pariente
daba de vez en cuando a la publicidad su obra póstuma
o si eran mensajes de ultratumba. Por fin, en 1928, Fede-

rico de Onís publicó en su «Revista de Estudios Hispánicos» un artículo titulado *Resurrección de Arévalo Martínez,* en el cual aseguraba que el poeta seguía entre los
hombres. Y era la verdad. Poco después recibí yo mismo
el envío de todos sus libros firmados por la mano del autor.
A propósito de esto cruzamos varias cartas, en una de las
cuales me decía textualmente:

En cuanto a datos biográficos solo le puedo decir que nací
en 1884, que casé en 1911, que tengo siete hijos, un cuerpo endeble hasta lo inverosímil (peso 94 libras), una neurastenia crónica desde los 14 años. Y nada más.

Como puede verse no da ninguna noticia de su muerte.
Además, y como prueba irrefutable de su existencia,
podemos agregar que en los últimos años ha sido Director de la Biblioteca Nacional de Guatemala.

El hombre que parecía un caballo es el primer libro
en prosa de Arévalo Martínez y de él se han hecho ya
nueve ediciones; es una especie de estudio psico-zoológico
en que el autor nos muestra el alma y el aspecto físico del
señor de Aretal, que ofrecen extrañas semejanzas con los
del caballo. En innumerables visiones se le presenta el
aspecto equino del compañero de letras:

El señor de Aretal estiraba el cuello como un caballo; el señor
de Aretal caía como un caballo, le faltaba de pronto el pie iz-
quierdo y entonces sus ancas casi tocaban tierra, como un caballo
claudicante; se erguía luego con rapidez pero ya me había dejado
la sensación. Accionaba el señor de Aretal sentado frente a sus
monedas de oro, y de pronto lo ví mover los brazos como mueven
las manos los caballos de pura sangre, sacando las extremidades
de sus miembros delanteros hacia los lados, en esa bella serie de
movimientos que tantas veces habréis observado cuando un
jinete hábil, en un paseo concurrido, reprime el paso de un corcel

caracoleante y espléndido. El señor de Aretal veía como un caballo; cuando lo embriagaba su propia palabra, como embriagaba al corcel noble su propia sangre generosa, trémulo como una hoja, trémulo como un corcel montado y reprimido, trémulo como todas esas formas vivas de raigambres nerviosas y finas, inclinaba la cabeza, ladeaba la cabeza, y así veía, mientras sus brazos desataban algo en el aire, como las manos de un caballo. Y luego cien visiones más. El señor de Aretal se acercaba a las mujeres como un caballo. En las salas suntuosas no se podía estar quieto. Se acercaba a la hermosa señora recién presentada, con movimientos fáciles y elásticos, baja y ladeada la cabeza, y daba una vuelta en torno de la sala.[1]

Esto por lo que se refiere al aspecto exterior. El espíritu del señor de Aretal refleja como un espejo el alma de las personas que le acompañan; en compañía de una mujer chata, gorda y baja, aduladora, rastreante y humilde, el señor de Aretal se hace enano y meloso. El mismo explica el misterio de su complejidad:

Yo, a Ud. que me ama, le muestro la mejor parte de mí mismo. Le muestro a mi Dios interno. Pero, es doloroso decirlo, entre dos seres humanos que me rodean, yo tiendo a colocarme del color más bajo.[2]

El señor de Aretal no ha tenido nunca un amigo, ni ha sido amado por mujer alguna, no tiene solidaridad con los hombres; es por naturaleza noble como un caballo y verídico como un caballo, pero, perdido su concepto de la moral, miente, adula y engaña y encuentra, en su elevada mentalidad, excusa para su mentira, su adulación y su engaño. En el choque de sensibilidad que al contacto de los dos espíritus saltan como chispas eléctricas, Arévalo

[1] *El hombre que parecía un caballo*, Guatemala, 1927, págs. 17 y 18.
[2] *Ibid.*, pág. 21.

Martínez se siente atraído y repelido por el señor de Aretal, pero siente por él un profundo afecto, sabedor de que el día en que deje de llevar sus amores o sus amistades como caballo para aceptarlos como hombre, se habrá regenerado, y así exclama:

Ud. está más acá de la moral: usted está bajo la moral. Pero el caballo y el ángel se tocan, y por eso usted a veces me parece divino. San Francisco de Asís amaba a todos los seres y a todas las cosas, como usted; pero además, las amaba de un modo diferente; pero las amaba después del círculo, no antes del círculo, no antes del círculo como usted.[3]

Por fin, el señor de Aretal, al sentir que el amigo llega a él cobarde y mezquino, acaso cansado del análisis y del peligro de la revelación, arroja lejos de sí al comentador y se aleja con su rostro humano y cuerpo de bestia, dejando su secreto en poder de Arévalo Martínez, su secreto que era el mismo del Centauro.

¡Interesante estudio de psicología es éste! En efecto, el señor de Aretal que es en su vida no sólo hombre sino alto poeta colombiano, tiene un extraño aspecto de equino. Yo le he visto trotar por las calles de México y he comprendido la poderosa intuición de Arévalo Martínez. Aretal, en su actitud de creador de belleza, ebrio de ópalos, esmeraldas, amatistas, tiene la suprema atracción de los caballos de pura raza; pero a veces, transformado por los bajos instintos de la bestia, le he visto, ciego a la piedad y a la misericordia, cometer actos de caballo despechado, como cuando en cierta ocasión metía por los ojos a un pobre mendigo un puñado de monedas de oro y luego se alejaba riendo a carcajadas sin dejarle nada

[3] *Ibid.*, pág. 24.

En la segunda parte de su divagación zoológica, Arévalo Martínez nos presenta a León Franco, poeta colombiano y hombre que parece perro. Usa iguales medios de análisis y logra captar el espíritu perruno de ese buen individuo, que sequía al señor de Aretal como a un amo. El mismo Arévalo Martínez encuentra, en el juego de las analogías, su apariencia en la grulla, con sus patas largas, su cuello estirado y sus plumas de seda.

Estos dos cuentos de Arévalo Martínez poseen los elementos necesarios para dar popularidad a un escritor: cierto ambiente de palpitante misterio a la manera de Barbey d'Aurevilly o de Poe, una evidente originalidad temática, ya que estas correlaciones entre diferentes géneros animales eran desconocidas en nuestra literatura; una rara sensibilidad de temperamento transparentada a través de un estilo refinado en el vocablo y la metáfora. Agréguese a esto el prestigio fantasmal del autor que pasa por la vida como una sombra, desconocido hasta de sus más inmediatos lectores, y se tendrá la clave del gran interés que ha producido *El hombre que parecía un caballo* en un limitado círculo de lectores inteligentes.

En otra narración breve de 1914, que Arévalo Martínez llama *Una vida,* nos habla de su niñez, de sus días de escuela y de sus primeros pasos en los duros terrenos de la literatura. Es éste un ensayo digno de leerse para seguir el proceso de la formación literaria de los jóvenes de América.

Continúa la forma autobiográfica en su novela *Manuel Aldano.* Ya el autor ha abandonado la escuela y busca un empleo para aliviar la pobreza de su madre y su hermana. Trabaja en algunos almacenes de catalanes y judíos y logra colocarse en un banco, pero en todas partes su aguda sensibilidad choca con el espíritu prosaico y con la vulgaridad del ambiente. Por fin, el cansancio y los nervios le derrotan y el joven, enfermo y triste, busca consuelo en el cariño maternal. Interesantes tipos atraviesan por las páginas de este libro. Don Francisco, uno de los dueños del almacén «El águila», es un divertido burgués que conoce a fondo la psicología de sus clientes y se pasa la vida citando latinajos; el judío Wolf, dueño del «Antropófago», es un individuo que tiene ideas demasiado grandes para un medio tan pequeño; Juan Feel, el banquero, que se torna amabilísimo cuando hace contratos ventajosos; el sobrino de don Francisco, simpático muchacho catalán que había abandonado su patria creyendo hallar en Guatemala indios con carcaj a la espalda y flechas envenenadas, elefantes, monos, y que había llegado con un Winchester, dos grandes revólveres y un machete Collins; el burlón Casasola; el caritativo Andrés Pérez, antipático hombre de bien, que no se había casado por sostener a sus numerosos parientes.

Arévalo Martínez hace en esta novela la vivisección de su alma. El doctor Esquerdo le revela su enfermedad:

La neurastenia es el primer término de una progresión que acaba en la locura. El neurasténico es un degenerado, simplemente. Y Ud. es, decididamente, un caso de clínica: el tipo clásico del degenerado. Todo lo caracteriza como tal: su incapacidad para el trabajo cotidiano, disciplinado y habitual; su falta de adaptación al medio; su sensibilidad exagerada; su emotividad agudísima; el dolor de su vida, que linda sin duda con lo que nosotros llamamos locura melancólica, si es que no entra de lleno en ella; su incapacidad de concentración, y por ende, la nebulosidad de su pensamiento; su egoísmo, que lo hace considerarse el centro del mundo e interesarse únicamente por su personilla morbosa, precisamente porque no es capaz de tener sino imperfectas relaciones con la realidad, de la que no se da clara cuenta; su lujuria ... En resumen, es Ud. un paciente de los descritos en cualquier texto moderno de Psiquiatría.[4]

Como todo neurasténico, Arévalo Martínez ha buscado la definición de su enfermedad en los tratados de algunos psicopatólogos europeos y sudamericanos que, como César Lombroso, Max Nordau y José Ingenieros, estuvieron muy de moda a fines del siglo pasado y principios del presente, y de la misma manera que ellos aplica a su creación literaria ciertos principios, más paradógicos que científicos:

—¿Por qué dice Ud. que en toda mi literatura sólo existe un personaje que es su chiflado autor?

—Que eso no le cause extrañeza. Creo, y es opinión personalísima mía que espero ver confirmada en el curso de mis estudios por la de otro pensador, que por muchos libros que escriba un hombre de letras a la postre no hace sino retratarse él mismo, por objetiva que quiera hacer su obra, pues todo trabajo literario, en su esencia, es forzosamente autobiográfico. Y si no, veamos. Suponga Ud. a un autor que cree ser completamente objetivo: el parnasiano más exigente, por ejemplo. ¿Del mundo exterior, qué elige para su obra? Los aspectos que le interesan porque corresponden con los de su propia naturaleza. Sólo se ama lo que se conoce y sólo se conoce lo que ya existe en uno. De una misma escena del mundo real un autor egoísta le señalará su propio egoísmo al fijarse en el de los demás; un héroe reconocerá pronto al héroe ... La elección delata al autor.[5]

El jardín zoológico del cual habíamos visto la noble

---

[4] *Manuel Aldano*, pág. 110.
[5] *Ibid.*, págs. 113, 114.

figura del corcel y la juguetona del perro se completa en las narraciones intituladas *El señor Monitot*. Aquí hallamos el elefante, la serpiente, la paloma, el tigre, el topo, el toro y algunas aves de rapiña. Una nota preliminar, *Las fieras del Trópico*, nos explica que esta novelita fué escrita en 1915 y debió aparecer en la primera edición de *El hombre que parecía un caballo*, pero que como en esos años reinaba en Guatemala el temible Estrada Cabrera, algunos amigos rogaron al autor que no incluyera este relato en el volumen, ya que el tirano podría haber visto su imagen en la forma trágica y fina del tigre. Afortunadamente, Arévalo Martínez pudo publicar la que yo conceptúo su mejor fantasía en *El señor Monitot*. La figura del caudillo hispanoamericano está aquí, en enfático relieve, viva y triunfante, en una maravillosa síntesis de arte. Don José Vargas, el gobernador del Estado, es un hombre hermoso y arrogante sobre quien flota, como una nube roja, el prestigio tremendo de su crueldad, una crueldad que por ser sin límites, absoluta, es de suprema belleza. Hermoso ejemplar de la especie humana, le llama el autor; bello como un arcángel, vestido de tela blanca, con ojos claros, de pelo casi rubio. En su mano derecha, toda blanca, cuidada como mano de cardenal o de mujer, lleva un solitario de enorme precio. El señor Vargas es el señor del país, con el mismo derecho que el tigre de Bengala lo es del Ganges. El valor de esta historia no está tanto en las divertidas y tensas aventuras que nos cuenta el autor como en la revelación del personaje humano visto, a través de la supersensible intuición del poeta, con la idiosincrasia del tigre. En *Nuestra señora de los locos* asistimos a la conquista de la paloma por la serpiente. La paloma es la señorita de Eguilaz, «bellísima, baja, llena, toda parte de su cuerpo era mórbida, blanca, toda ella estaba vestida de plumas blancas. Y había nacido para el amor conyugal; todo en ella aromaba de castidad sensual; era arrulladora y arrullante». El señor Reinaldo es la serpiente; «hermosamente feo, de cuerpo fláccido, rugoso y desnudo, recordaba la sierpe con rostro humano que en la procesión de Semana Santa recorría el pueblo; tenía la seducción en su ancho rostro desnudo; tenía la seducción en sus dos grandes y rasgados ojos claros». Nunca he visto, dice el autor, otros ojos tan sensuales, tan acariciadores e hipnóticos. La serpiente conquista a la paloma, pero el mismo día de la boda la señorita de Eguilaz huye de Reinaldo; la paloma siente el terror de la serpiente, y el lector, que no comprende bien este juego de fuerzas espirituales y misteriosas, está de acuerdo con el desenlace, terrible y natural como en los cuentos fantásticos de Edgar Poe.

El señor Monitot llega al Círculo Teosófico balanceándose sobre cada una de sus piernas, alternativamente, como un gran elefante blanco, huraño, esquivo, bondadoso; le acompaña su consorte, enorme, digna compañera del gigantesco elefante. En el Círculo se reunen esas almas sedientas de luz y de verdad, pero se desorientan en el esfuerzo por llegar a la comprensión de las verdades. Por fin, el señor Monitot, el elefante, hunde su trompa intuitiva en la laguneta llena del agua de la sabiduría y de la vida, y habla. Y su palabra dulce y profunda le lleva, despreciando la razón, a la conquista de la sencillez y la humildad, al cristianismo, al catolicismo. En un precioso cuento, *El hombre verde,* nos señala como se forma la arquitectura íntima de la obra narrativa, con su lógica precisa, su sencillez y su cantidad de misterio.

Sigue la confesión espiritual en *Las noches en el palacio de la Nunciatura.* Vuelve otra vez el señor de Aretal a poner las fuerzas misteriosas de su inteligencia en comunión con el alma mística de Arévalo Martínez, y el resultado de las mutuas confidencias es este juego de teorías y sensaciones en que luchan los ideales cristianos del guatemalteco con el paganismo del colombiano. Un personaje nuevo aparece sin embargo, el pederasta Meruenda, de cuyo bajo espíritu toma posesión a veces el diablo en una serie de episodios macabros y risibles. Arévalo Martínez escribió este libro después de muchos años de marasmo intelectual causados por su incurable neurastenia y por la indiferencia del medio ambiente frente a los esfuerzos del creador literario.

En *La signatura de la esfinge,* narración de J. M. Cendal, profesor universitario, nos entrega el novelista otra obra de valor. Su poderosa intuición le lleva de nuevo por los caminos de las relaciones entre el hombre y los diferentes géneros animales. Esta vez es mujer majestuosa y elástica que tiene apariencia de leona. Sin embargo, como el poeta tiene con gran frecuencia fijo en la mente el rostro femenino de la esfinge, la ve distintamente en ese rostro de mujer, amplio y definido, sobre un poderoso cuerpo de león, echado. En la segunda parte de esta novelita, *El hechizado,* abunda el autor en conceptos de amor platónico, y cuando pierde a la mujer, su angustia adquiere la grandeza y la intensidad de expresión de los grandes poetas atormentados:

Así como para que nazca un hijo en el plano físico es necesaria la unión de un hombre y de una mujer, por aleatoria y momentánea que parezca, así para que surja la obra bella, el hijo del espíritu, es también necesario el enlace de dos almas de sexo diferente. Y sin esta unión ninguna labor artística puede alcanzar la inefable vida del arte.[6]

Es la entrega total en esa forma del amor que sintieron los petrarquistas, tan bello en conceptos y sutilezas, revivido más tarde en los románticos, en la química celeste de las uniones inmortales, más intenso cuanto más imposible y lejano. El alma del poeta «como una invisible paloma come en sus manos granos de ilusión y de ensueño».

En *El mundo de los Maharachías* hallamos páginas bellísimas. Es una novela de pura imaginación, un viaje al país de las utopías. En el país de la Costa Dorada el habitante de las Lucías, náufrago y solo, encuentra a Aixa, prodigio de belleza, único habitante sin cola en ese mundo maravilloso y que ha perdido por eso el contacto directo con la tierra. Se aman los dos jóvenes con un amor extático y lleno de revelaciones ultraterrenas. Pero llega también la hermana de Aixa, de dulce nombre Iabel, y enciende en el corazón del huésped un amor apasionado y violento. El visitante se debate a través de toda la narración entre estos dos amores. Triunfa Aixa sin embargo, por estar más cercana de los hombres y porque ella ha escogido al habitante de las Lucías para que escriba la historia de su gran pueblo próximo a desaparecer.

---

[6] *La signatura de la esfinge*, pág. 50.

Mueren una noche todos los Maharachías que forma-
ban el resto de una raza mejor perdida en las estrellas.
Son destrozados por la raza de los hombres sin cola, pero
su obra ha de sobrevivir en otro pueblo, en la raza
ipandesa que todavía tiene el instinto de la defensa y de
la lucha.

De esta raza trata la otra novela de Arévalo Martínez,
Viaje a Ipanda. El habitante de las Lucías es enviado
por el jefe de los Maharachías a visitar ese pueblo ejemplar, influído en su conducta y en sus instituciones por el
reino de los hombres con cola.

Por mandato de la Liga de las Naciones, ha sido creado
este pueblo de dulce idioma e idílica existencia. Pero he
aquí que la Liga, al abolir las fronteras, ha permitido la
entrada de los inmigrantes de color, que traen la anarquía
y el odio al pacífico pueblo. La demagogia ataca a la
democracia y la habría destruído totalmente si no fuera
porque todavía mantiene ese pueblo el instinto de la lucha.

La novela de los Maharachías es, como quiere su autor,
un bello poema vivido en el plano de la intuición pura, y
por eso se salva, a pesar de la candorosa imaginación del
poeta. Y aunque todo se perdiera, como en las páginas de
un cuento de hadas, quedarían siempre las figuras aladas
de Iabel y de Aixa, síntesis de esa belleza platónica que
siente tan profundamente Arévalo Martínez.

En *El viaje a Ipanda* hay también pasajes poéticos de
importancia, pero como en *Oficina de paz de Orolandia*
hay un exceso de material ajeno a la novela.

Habríamos dejado sin analizar este libro si no fuera
porque una crítica incomprensiva le ha asignado un puesto

que no le corresponde entre las novelas de este escritor. Aunque las opiniones que tiene Arévalo Martínez acerca de la democracia, la Liga de las Naciones, los ejércitos internacionales, las escuelas, las cárceles, las iglesias, etc. sean útiles como texto de lectura para estudiantes primarios de filosofía, sociología, política o historia, y aunque algún buen maestro de escuela se entusiasme con este programa ingenuo de gobierno y crea estar en presencia de una obra de fuerte raigambre ideológica, debemos poner un serio reparo a esta clase de novelas. Si el novelista logra destacar su conflicto dramático y si la psicología de sus personajes orienta el desarrollo medular de su obra, se le puede permitir que introduzca los apartes que estime convenientes para enriquecer su mundo anecdótico. La novela debe ser antes que nada obra de arte y después revelar, en forma discreta, la cultura de su autor, aplicada a las palabras que pone en boca de sus personajes.

Pero si en vez de una serie de caracteres que se agiten en vitales ansias, en un mundo vivo e intenso, encontramos una acumulación de opiniones, proclamas, teorías, más propias de un artículo de fondo en un periódico que de una obra de ficción, justo será creer que el autor no ha llenado su cometido. Este es el defecto del *Viaje a Ipanda*, y aunque Arévalo Martínez pueda demostrar que la Liga de las Naciones es una institución de gran utilidad para el mundo, no logra hacer una novela, ya que sus personajes no tienen vida y, por lo tanto, toda la narración carece de interés dramático.

Por otra parte el temperamento de Arévalo Martínez,

tan sensitivo y artístico, no se aviene bien con este tipo de obras de propaganda, mucho más apropiada al talento de los escritores realistas.

Arévalo Martínez es un verdadero temperamento de artista, y esto es en América mucho más importante que ser simplemente escritor, ya que entre nosotros se llega a la profesión de las letras con buena voluntad y sobra de tiempo, y a veces hasta con una gran ignorancia. Tomando en cuenta sólo la sensibilidad y el poder de adivinación estética, me atrevería a decir que Arévalo Martínez es el escritor mejor dotado de nuestro continente; no el más logrado, sin embargo, debido a que su neurastenia crónica le ha impedido dedicarse de lleno a la literatura. Hay novelistas de ideas y de teorías; los hay que pueden construir técnicamente en forma admirable; algunos poseen extraordinaria fuerza descriptiva; otros tienen el sentimiento de lo trágico; Arévalo Martínez es ante todo poeta y, por lo tanto, purísimo intérprete de la belleza real y metafísica; su sensibilidad, fina como una cuerda de violín, vibra al menor roce de los impulsos internos o externos; su intuición le hace ver significados ocultos en los gestos, en las palabras, en los movimientos de los seres, a los cuales ve con esa enorme simpatía de los espíritus que han trepado a las cumbres del cristianismo. La unidad vital es su horizonte. Para él, las almas del arcángel y la bestia, del criminal y del santo, palpitan al unísono en el ritmo total del mundo; de aquí su sencillez y su bondad, productos de esa perfecta comprensión. Ha penetrado en esa terrible selva de Nietzsche y de Schopenhauer, pero ha salido de ella incólume para entrar en las aguas puras del evangelio. Cree en Cristo, en Santa Teresa, en Rubén Darío, y en Ricardo Arenales y su inocencia y su panteísmo le hacen olvidar la diferencia entre estos hombres, entre ellos y los otros individuos, entre ellos y todo ser creado. Su estilo es típicamente modernista; metáforas, símbolos, imágenes, vocabulario, ritmo, todo lo aprendió de Darío, a quien considera el poeta más grande de la lengua castellana. El misterio le atrae como a Poe, la sensualidad como a Lorrain, la divina elegancia como al autor de *Azul;* pero la base de su obra es el amor por los semejantes, por todas las criaturas, y así va por el mundo como un moderno San Francisco de Asís, en paz con los hermanos tigres, los hermanos caballos, las hermanas serpientes, las hermanas palomas.

Arévalo Martínez es desconocido fuera de su patria y su gloria pequeña le ha de ruborizar un poco; para triunfar en América hay que llevar por todas las naciones nuestras el bagaje de ensueños y experiencias como hicieron Darío, Chocano, Alfonso Reyes; de otro modo el escritor tendrá que esperar ese «sol de los muertos» de que habla Camilo Mauclair. El autor de *El hombre que parecía un caballo* vivirá siempre pobre e ignorado en su ciudad natal, muerto para los grandes públicos, pero un día tendrá su verdadera, su eterna resurrección.

BIBLIOGRAFIA

El hombre que parecía un caballo, Quezaltenango, Guatemala, 1915. Seg. ed., San José de Costa Rica, 1918. Terc. ed., Guatemala, 1920. Otra ed., Guatemala, 1927; otra ed., Madrid, 1931.

Una vida, Guatemala, 1914.

Manuel Aldano, Guatemala, 1927.

El señor Monitot, Guatemala, 1922.

La Oficina de paz de Orolandia, Guatemala, 1925.

Las noches en el palacio de la Nunciatura, Guatemala, 1927.

La signatura de la esfinge, Guatemala, 1933.

Sentas.—Primera novela de Arévalo Martínez, escrita en 1910 y publicada en el volumen *Las noches en el palacio de la Nunciatura*.

El mundo de los Maharachías, Guatemala, 1939.

Viaje a Ipanda, Guatemala, 1939.

TRADUCCIONES

L'Homme qui ressemblait à un cheval, tr. por Georges Pillement, «Revue de l'Amérique Latine», Vol. XXIII.

Our Lady of the Afflicted, «Living Age», 321, 1924.

The Panther Man, «Living Age», 321, 1924.

Eduardo Barrios

Eduardo Barrios

(1884–   )

NACIÓ en el puerto de Valparaíso. Es hijo de uno de los chilenos que conquistaron a Lima en la guerra del Pacífico y de una peruana de la ciudad conquistada. A los cinco años de edad perdió a su padre, y su madre se fué a vivir al Perú. En la ciudad de los virreyes hizo el niño sus estudios, hasta las humanidades. Después sintió la nostalgia de la patria paternal y volvió a Chile para seguir carrera. Hizo estudios en la Escuela Militar, pero su temperamento no se avino con la rígida vida del soldado. Su salida de esta institución causó su ruptura con la familia de su padre. Desde entonces su vida no tuvo rumbo fijo. El mismo nos lo ha dicho:

> Recorrí media América. Hice todo. Fuí comerciante, expedicionario a las gomeras en la montaña del Perú; busqué minas en Collahuasi; llevé libros en las salitreras; entregué máquinas, por cuenta de un ingeniero, en una fábrica de hielo de Guayaquil; en Buenos Aires y Montevideo, vendí estufas económicas; viajé entre cómicos y saltimbanquis; y, como el atletismo me apasionó un tiempo, hasta me presenté al público, como discípulo de un atleta de circo, levantando pesas.[1]

Ya radicado definitivamente en Chile, ha hecho muchas cosas. Fué taquígrafo de la Cámara; secretario de la Uni-

---
[1] *Y la vida sigue*, pág. 85.

versidad; Director de la Biblioteca Nacional y Ministro de Educación. En estos últimos años se ha dedicado a la agricultura. Alguna vez dijo Barrios: «He caído, me he levantado, he sufrido hambres, he gozado hartanzas. Y siempre, en medio de todo, me respeté ... porque soy un sentimental».

Barrios es pues un hombre sentimental, vale decir un romántico del 1800 y como tal hay que aceptarle. Como a Rousseau, Chateaubriand, Musset, le gusta abrir su corazón a sus lectores, entregarse entero a la confesión íntima, para justificar ciertos actos morales que acaso fueron erróneamente interpretados. Así nos va guiando por los vericuetos de su existencia. Después de vagar mucho por el mundo sintió un gran cansancio y el deseo de tener un hijo. Y se casó «ciego, contra toda prudencia»:

Hice un matrimonio absurdo. Pero tuve el hijo. Dos hijos tuve. Y por ellos, y para ellos viví años y años ... Aunque yo solo sé a qué precio.[2]

He aquí la falta de fortaleza de carácter. El escritor se protege y acusa, como Espronceda en su *Canto a Teresa*, a la mujer.

Solucionada ya la crisis, entra el novelista en su última etapa emocional y acaso haya olvidado, en el retiro de su hogar, las amarguras de su vida pública:

Hoy, anulado ya mi primer matrimonio, y vuelto a casar, mi vieja ansia de amar, ya colmada y satisfecha, cede su puesto a una más feliz, más feliz y terrible: la del espanto ante la eternidad. Y tengo amor, y tengo mis dos hijos, y tengo una hija también. Sé que algunos murmuran; porque tener conceptos justos se aplaude, y acordar los actos a esos conceptos se vitupera; porque

---

[2] *Y la vida sigue*, pág. 86.

la rebelión y la independencia enfurecen a los mansos. Cuando un hombre pisa recio y la acera retumba, el buenazo de mi perro ladra y escandaliza la calle. Dentro de casa, sin embargo, están conmigo los míos, y permanecen tranquilos, con todos mis amigos, que continúan viniendo a mí.[3]

En estas frases se revela una vez más el hombre débil, que no es el dueño de su vida, el hombre sin orientación, tan bien expresado en el Lucho de *Un perdido.*

* * *

Del natural se titula su primer ensayo novelesco, escrito a los veinte años. Podría estudiarse en esta obrita la formación literaria de toda una generación de escritores, sus tanteos, sus influencias, su posición dentro de una sociedad provinciana, (Iquique), ciega a la cultura y al arte. La vida sexual del joven escritor ha sido un factor determinante en su iniciación artística; el ambiente de agria sensualidad de la ciudad chilena ha definido la primicia de su observación; lecturas de autores realistas y naturalistas, sobre todo franceses, han orientado su manera de pensar. Mas, he aquí que el novel literato se da cuenta de que su primera novela suda erotismo, y como él conoce a la burguesía de su patria, se apresura a disculparse en un largo prólogo. ¿Y dónde buscar la palabra que justifique la futura acusación de escritor pornográfico que presiente el autor?

Zola, mil veces citado desde *Contes à Ninon* (1864), le ampara con su indiscutible autoridad:

Consintiendo la moral en ocultar el sexo, el sexo ha sido declarado infame. El hombre distinguido, el hombre honrado, es el que hace las cosas sin hablar de ellas, mientras que los que

<hr>

[3] *Ibid.*, pág. 86.

de ellas hablan sin hacerlas, como ciertos novelistas que conozco, son tratados de gentes podridas, y a diario arrastrados por el arroyo.

Ataca Barrios a los que buscan en la pornografía el fácil éxito y el negocio, pero sus ideas sobre este tema son un tanto vagas y él mismo cae a veces en el vicio que combate, porque aunque nos asegura que su propósito es describir la avasallante fuerza del amor hasta en la sensualidad, como lo hicieron Zola, d'Annunzio y Bourget, llega a veces a esa atmósfera de *boudoir* tan grata a ciertos novelistas franceses de la retaguardia.

Su preparación literaria es, en este tiempo, irregular y por demás deficiente; parece que entre sus autores favoritos figuran esos engendradores de pesadillas y disparates que se llamaron Montepín, Ponson du Terrail, Carlota Braéme; a vueltas de ensalzar la *Mme Bovary* de Flaubert nos dice que admira a Galdós y a Zamacois, por la valentía y la nobleza. Como Galdós es uno de los grandes novelistas de España y Zamacois un audaz representante de la más tonta pornografía, se echa de ver que Barrios no ha digerido bien sus lecturas. Barrios expresa además sus opiniones con infantil ingenuidad:

Dos esposos hoy día no hablan tan sólo del sol, de la luna, de la poesía casta. Gozan del amor, carnal y espiritualmente; su pasión es sentimental y concupiscente a la vez; y el escritor que no concierte estas dos fases hará algo imperfecto, falto de vida, y, por lo tanto, desprovisto de interés.

Del natural consta de varios cuentos y una novelita, *Tirana ley*. Ambiente: el puerto de Iquique. Tema: los amores del pintor Gastón Labarca y de Luz Avilés. Luz es viuda y ha tenido amores con otros hombres del lugar, lo que pone cierta nerviosidad ibseniana en estos amores. Gastón envía uno de sus cuadros al *Salón* de Santiago y recibe medalla de oro y pensión en Europa. Decidido a irse, Labarca tiene la cobardía de hacer a su querida una escena de celos la última noche y parte sin revelarle la verdadera razón de su viaje. Nueve meses después de su partida nace una niña. Gastón no puede vivir en Europa, pues su amor se agranda en la ausencia. Abandona por fin sus ideales y sus proyectos y regresa a Iquique para casarse con Luz.

A pesar de que la trama es de una atroz vulgaridad, hay en la narración cierta viveza y mucha facilidad de desarrollo. Las descripciones de escenas íntimas, cargadas de esa pornografía que condena este autor, deben de dar a la obra interés para adolescentes. Psicológicamente la novela no vale nada y sólo es digna de mención porque en ella se encuentran ya, en germen, las futuras modalidades que van a definir a Eduardo Barrios como novelista representativo de la nueva generación chilena. Ya se anuncia en *Tirana ley* ese continuo oscilar entre los tonos puros y vagos de su idealismo romántico y los más oscuros y precisos de la realidad circundante; una morosa delectación en el motivo erótico; énfasis en los elementos emotivos y una blanda ternura, cualidades más propias del poeta que del novelista.

Ocho años más tarde publica Barrios *El niño que enloqueció de amor*, diario doloroso e ingenuo de un niño de diez años que se enamora de Angélica, amiga de su madre, a tal punto que al saber que la joven tiene novio,

enferma y pierde la razón. El relato breve y nervioso—
cabría en treinta páginas—tiene el alto interés de ser el
primer ensayo de psicología infantil escrito en América.
Acaso algún psicólogo pusiera reparos al desarrollo vertiginoso de los procesos emocionales del niño y de su enfermedad, pero el lector de la obra no sale defraudado, y
se da por satisfecho con la relativa verdad ideal de la
narración. Sólo que a veces choca la intensidad de esa
pasión en un niño de tan tierna edad y nos hace pensar
que se trata de un caso verdaderamente patológico. La
penetración del novelista es admirable, por cuanto narra
en primera persona y en presente un asunto dificilísimo
que los grandes maestros de la novela habían tratado en
tercera persona o en pretérito. Y narra con una seguridad
magistral, poniéndose tan certeramente en el espíritu de
su personaje que el lector no nota las inharmonías—si las
hay—entre la mente del hombre maduro y el espíritu
infantil. El niño se enamora de Angélica, sufre por la
ausencia y por la timidez, por el contacto con la realidad
brutal, por los desaires de la mujer querida y por la horro-
rosa convicción de que ella está destinada a ser de otro.
Y cuando enloquece, su diario cae casualmente en manos
del autor, que pone en él la última página. Todo esto
parece a primera vista muy sencillo, pero este mismo tema
ha sido piedra de fracaso para muchos autores. Para su
éxito se necesitaban los factores que concurren a formar
la personalidad de nuestro novelista: experiencia individual del asunto, abundancia de ternura y de emoción,
inclinación hacia los caracteres débiles, sencillez absoluta
en el desarrollo formal, tendencia hacia las concepciones

ideales y observación exacta de la realidad. El mismo Eduardo Barrios nos aclara el primer punto:

El niño que enloqueció de amor recogió un episodio de mi vida cuando apenas contaba yo nueve años.[4]

Su emoción y su ternura están evidenciadas hasta la saciedad en todos sus libros; y esta misma ternura le lleva a comprender a los hombres débiles, a los fracasados, a los abúlicos y sentimentales, porque ha conocido muchos en su vida, porque él mismo, a su manera, es un débil. Por lo que se refiere a la sencillez, cito otra vez sus palabras:

No soy un simple; aspiro a ser un simplificado. Amo la sencillez porque en ella encuentran paz los complejos. Y como en la sencillez cabe la multiplicidad, ella es mi norte, mi fin en la depuración.[5]

En *El niño que enloqueció de amor* el valor inmediato reside en esa onda de cordial simpatía que se establece entre el lector y el infantil personaje. Ya he dicho que para un psicólogo acaso no exista en esta obrita la verdad científica, para él indispensable. Barrios aspira a ser leído por hombres sensibles y artistas y por eso ha escrito:

He definido el arte así: Es una ficción que sirve para comunicar, no la verdad misma, sino la emoción de la verdad. Pido fijarse en que digo *comunicar* y no *expresar*. La expresión lisa y llana, por exacta y poderosa que sea, pertenece a la ciencia: comunicar y aun contagiar es misión del artista.[6]

El estilo de *El niño que enloqueció de amor* es diáfano y sencillo, rítmico a veces, otras fragmentado y brusco, incoherente y repentino, como conviene a ese tempera-

---

[4] *Y la vida sigue*, pág. 86.   [5] *Ibid.*, pág. 82.   [6] *Ibid.*, pág. 87.

mento afiebrado e impulsivo. La primera página, que sirve de introducción, es un verdadero poema:

¿Habéis oído cantar un pájaro en la noche?

Suele ocurrir que un rayo de luna, un rayo levemente dorado, derramándose, derramándose por entre el misterio del follaje, alcanza la rama donde se acurruca el avecita dormida, y la despierta. No es el alba, como imagina el ave. Pero ... ella canta.

Luego, si el avecilla es lo que se llama un equilibrado y fuerte pajarito, descubre su engaño, hunde otra vez el pico en la tibieza de las plumas y se vuelve a dormir.

No obstante, avecitas hay, inquietas y frágiles, para quienes el rayo de luna tiene un poder de sortilegio. Y tras de cantar, saltan aturdidas y vuelan ... Sólo que, como no es el día el que llegó, se pierden pronto en la obscuridad, o se ahogan en un lago iluminado por el pálido rayo de oro, o se rompen el pecho contra las espinas del mismo rosal florido que, horas después, pudo escucharles sus mejores trinos y encender sus más delirantes alegrías.

¿Cuál es el rayo venenoso que despierta algunas almas en la noche, les roba el amanecer y las ahoga en una existencia de tinieblas?[7]

La forma de esta novela está de acuerdo con la teoría estilística del autor expresada mucho más tarde, no sabemos si basándose en la observación de su trabajo ya ejecutado o razonando objetivamente sobre el problema:

Y he dicho sobre mi ideal de estilo: *Música y transparencia,* porque, con esto cumplido, las demás virtudes vienen solas.[8]

Y luego detalla más. En perfecto acuerdo con Azorín, dice Barrios que él desea que el lector se olvide de que lee y que reciba únicamente las emociones y sensaciones de lo que él quiso comunicar. La transparencia es para

---

[7] *El niño que enloqueció de amor,* págs. 11 y 12.
[8] *Y la vida sigue,* pág. 87.

él el suave deslizarse del contenido intelectual o emocional, y la música el medio de comunicar ese contenido. Y continúa:

El arte es, ¡felizmente!, muy difícil. Lo odioso es esa fácil mentira, la simulación de esa «exquisitez» que no pasa de presunción. Abomino los estilos presuntuosos; son los falsificadores de la propia verdad. Además, ese literatismo conduce a la estultez de pretender mostrarse excepcional.[9]

Por esta razón, Barrios, aun tratando un tema tan fino como el del niño que enloquece de amor, logra dar a sus páginas rara intensidad. En el preludio de su locura, ese día del santo de Angélica, el niño se expresa con esa violencia propia de los desgarramientos interiores:

Yo no sé que hice entonces. Lo único que sé es que llegué solo al salón y que cuando yo entraba, Jorge se iba con Angélica por la galería. Creí que me iba a caer muerto. Se me aflojaron las piernas y se me clavó este dolor que todavía tengo en el cerebro, y me agarré a una cortina y ahí estuve hasta que me volvieron un poco las fuerzas, y después me asomé a la galería, y ahí estaban los dos paseándose de la mano. Me dió una desesperación, que no podía respirar. Después, me acuerdo que estaba fijándome en que el tal Jorge sabía hacer muy bien ademanes con los brazos y que yo pensaba en que no los podría yo hacer lo mismo, porque a un niño no le resultan bonitos con los brazos tan chicos y el traje de marinero ... cuando de repente, ella se le pone delante y le empieza a arreglar la corbata, y él le toma los brazos, y ella se echa atrás, pero él se agacha y le da un beso en la cara ...

Ahí sí que no pude más. Primero se me dió vueltas toda la casa y después solté el llanto y salí corriendo, a perderme, y llegué otra vez al comedor y, sin saber para qué, me metí debajo de la mesa. Lloraba a gritos, y todos vinieron, y se armó un alboroto: porque todo el mundo quería saber lo que me pasaba, y las señoras me preguntaban: —¿Qué tienes, hijito?—y los hombres:

[9] *Ibid.*, pág. 87.

—¿Qué pasa?—y mi mamá como una loca. Pero yo escondía la cabeza entre los brazos y seguía llorando, con ganas de morirme; y cuando alguien me quería sacar de ahí, yo me hacía soltar a puntapiés. Hasta que en una de éstas, un señor se agacha y recoge del suelo una copa, y la huele, y se la da a oler a los demás, y después dice: —Ésta es la madre del cordero. Ha dado cuenta del cacao. —Y toda la gente suelta la risa. Y unos decían que por lo dulcecito me había gustado; y otros, que las borracheras lloradas eran las peores, y que pobre criatura, y que qué divertido, y la mar de imbecilidades, mientras yo no podía contener el llanto, que ya era como un ataque y me venía como hipo que me ahogaba y me hacía doler el corazón. Hasta que por último mi mamá perdió la paciencia y me dió de pellizcos, y me sacó y me trajo en un coche. Después ... no sé más, sino que estoy con fiebre y que he pasado toda la noche hablando esos disparates que cuentan mis hermanos ... [10]

Inquieto por temperamento, no pule este escritor sus obras con la paciencia benedictina de un Flaubert y apenas terminada su novela la entrega a las prensas. Y ya una vez publicadas, «como medida de higiene» jamás piensa en ellas. Lector constante de Zaratustra, conoce la útil fórmula: «Sube y no mires atrás»; y así se va renovando y superando en maravilloso avance y cada libro nuevo lo es en substancia así. Suyas son estas palabras: «No tengo predilección por ningún género determinado en literatura ... cada una de las cosas que necesitamos comunicar exige su género». Y así ha cultivado el teatro, el cuento, la novela y el verso. Y dentro de la novela misma ha cultivado todas las formas, la erótica, la psicológica, la realista, la mística, la macabra relación poeana.

No aquietado aún el revuelo levantado por la crítica con motivo de *El niño que enloqueció de amor*, aparece *Un*

---

[10] *El niño que enloqueció de amor*, págs. 119–122.

de penetrar en la intimidad de su padre; como ambos son tímidos, no logran jamás abrirse sus corazones sedientos de ternura. A la muerte del padre Lucho vuelve a Santiago, al amparo de sus abuelos paternos. Ingresa en la Escuela Militar en contra de su voluntad. La férrea disciplina del establecimiento le hace su estada allí insoportable y por fin, fingiéndose enfermo, se retira de la escuela. Descubierto el engaño, la vida en casa de los Bernales es imposible. Por fin consigue un puesto en la Biblioteca Nacional y arrienda habitación en la calle San Diego. Se enamora perdidamente de una prima suya, hermosísima y rica, aunque en la convicción de que ha puesto demasiado alto su ideal, y la prima, Blanca, no será nunca suya. Y así sucede. Cuando su hermano Anselmo, ahora oficial de marina, vuelve a Santiago, conquista inmediatamente a Blanca y a la vuelta de algunos meses se casa con ella. Lucho ha sido derrotado por la vida una vez más, y como todo débil, se va replegando dentro de sí mismo, hastiado de todo, sin fuerzas para la lucha cotidiana. Pero un día encuentra casualmente a una mujer que se deja amar y devuelve ese amor. Teresa Bórquez, mujer del pueblo, sana y sensual, es para Lucho el supremo consuelo, la dicha tantos años soñada. Pasan meses de perfecta felicidad, pero la pobreza empieza a cansar a la mujer que termina, primero por engañarle con uno de sus compañeros de la biblioteca, y por abandonarle después. Y ahora empieza el rápido descenso. Lucho abandona su empleo y busca la amistad de bohemios y gente del hampa. Sabe de todas las miserias, el hambre, la vergüenza, el frío, la falta de ropa, la suciedad. Va por la vida como un sonámbulo, ebrio de dolor y de vino. Por fin, con una mesada que le destinan sus parientes puede vestirse un poco mejor, pero ya el alcohol le domina por completo. Y un atardecer, aquel amigo lejano de Iquique, aquel teniente Blanco, hoy mayor, conversa así con unos oficiales jóvenes en el club militar de Santiago definiendo el epílogo amargo de esta intensa novela psicológica en la brevedad de este diálogo:

—¿De modo que no saben ustedes más de él?
—Nada más, mi mayor.
—Y quise de veras a ese chiquillo. Desde anteanoche, al acercarme en el tren a Santiago, vengo pensando en él. ¡Oir ahora lo que Uds. me cuentan! ... ¡Qué lástima! ¡Tan buen muchacho!
—Solía yo verlo por aquí antes. Y ahora sólo de tarde en tarde lo diviso, en las cantinas distantes, bebiendo a solas, o metiéndose ya muy ebrio en un coche.
—Y tuvo una época peor. Anduvo andrajoso, mugriento, borrachín de barrio apartado.
—Lo echan de todas las pensiones por su vicio.
—¡Por su vicio! Habrá llegado sin duda al período de la sed, de la insaciable sed alcohólica.
—¡Y a los veintisiete años. Porque es de mi edad!
—Pobre Bernales. Cualquier noche cruda de éstas le coge durmiendo la borrachera por ahí y ... ¡adiós!
—De modo que ... ¡un perdido!
—¡Un perdido!
Blanco chupó el cigarro, largamente, las cejas contraídas y la mirada vaga y lejos, en la imaginación remota. Soltó muy poco a poco el humo y, sacudiendo la ceniza, dijo:
—!Yo quisiera verlo![11]

* * *

Desde el punto de vista de la técnica, *Un perdido* repre-

[11] *Un perdido,* Buenos Aires, 1921, págs. 478, 479.

senta un progreso evidente sobre *El niño que enloqueció de amor*. Dice Armando Donoso:

> Después de su primera novela Barrios se renueva, se enriquece, con recias experiencias artísticas y escribe una obra que importa un procedimiento esencialmente diverso en su labor: todo lo que en aquella novelícula inicial había de ligero, de liviano, de gracioso, se convierte en *Un perdido* en recia, en medulosa labor constructiva: cada piedra reclama su sitio y cada arquitrabe encuentra su ajuste definitivo; según pudo observársele a Zola, en su cualidad esencial suele tener su defecto: la lentitud descriptiva se detiene demasiado sobre el cuadro, hasta el punto que resulta como observado a través de una lente.[12]

Un perdido es un libro meduloso, de esfuerzo sostenido, en sus quinientas páginas. No estoy de acuerdo con Manuel Gálvez cuando asegura que *Un perdido* es un libro típicamente realista, «lo cual quiere decir que las cosas ocupan en él más lugar que las almas»;[13] porque en esta novela, como en todas las de Barrios, lo principal es el análisis de vidas, la creación de caracteres que, como *papá Juan, mamá Gertrudis,* Lucho, y tantos otros, se incorporan al grupo vivo de gente conocida que ocupa nuestra atención. Es natural que las cosas ocupen aquí un lugar destacado, pero esto es sólo una manera de construir, de crear ambiente, para que los personajes se pongan más en evidencia, en contacto con la realidad objetiva.

Es de admirar la sólida construcción de esta novela y el equilibrio que ha sabido mantener el autor entre los diferentes elementos que la componen, porque aunque hay una infinidad de descripciones estériles y cuadros de

---

[12] *La otra América,* Madrid, 1925, págs. 165, 166.
[13] Prólogo a la edición argentina de *Un perdido.*

hosca del militar; el teniente Blanco, escéptico y cordial; Charito, abnegada, y humilde; Teresa, la hembra ligera y egoísta, incapaz de apreciar la abnegación y el amor definitivo. Todo el pueblo chileno está representado en *Un perdido,* desde la dama rica y aristocrática hasta el más despreciable ratero; todas las profesiones y oficios, marineros, militares, médicos, empleados del gobierno, pintores, escritores, proxenetas, prostitutas, panaderos, tahures, criminales, teósofos, vagos y ladrones. Por este motivo *Un perdido* tiene mucho de novela de costumbres; se convierte en la novela chilena por antonomasia. Nuestro hogar está descrito con todas sus convenciones, sus defectos y sus muchos méritos, siempre con fidelidad; ciudades enteras, como Santiago e Iquique, están investidas de un gran interés, con sus calles características, sus paseos de moda, sus edificios públicos, sus burdeles, sus garitos, sus *cités.* El cuartel de Iquique está pintado con minuciosos detalles, lo mismo que la Escuela Militar y la Biblioteca Nacional de Santiago. La vida de los bohemios, escultores, pintores, poetas o simplemente vagos, alcanza positiva grandeza descriptiva, con sus bares, figones, casas de pensión y buhardillas. Barrios conoce a fondo los lugares que menciona en su novela, ha observado con interés de artista y de sociólogo la vida nacional y, por eso, *Un perdido* queda como un valioso documento psicológico y sociológico de la nación chilena de principios de siglo.

El estilo de *Un perdido* está acordado al tema. La solidez de la novela rechazaba desde luego el estilo poético y pedía una manera sencilla de expresión. Es posible que los críticos extranjeros pongan reparos a ciertas expresiones, típicamente chilenas, que el autor usa con pleno conocimiento de causa para aumentar la sensación de color local. Las descripciones son a veces desmayadas y vulgares, pero en los diálogos vuelve el autor a su viveza natural. Algunas veces adorna su frase donde corresponde, pero por lo común sigue las normas formales de la novela realista. La obra es de tendencia patética; sin embargo, el humorismo insinúa su sonrisa de vez en cuando, así en las páginas que describen al viejo proxeneta que habla de moral mientras comercia con el vicio; en las conversaciones de los bohemios que hacen planes de millonarios, aunque tienen los estómagos vacíos; en las paradojas extraordinarias de las prostitutas; en la vida pintoresca de los estudiantes.

Es indudable que Lucho y el niño que enloqueció de amor son descendientes directos de Federico Moreau, héroe de *L'Education sentimentale* de Flaubert. En estas tres novelas hay una síntesis de sensibilidad contemporánea en la persona del protagonista, y se nos revela el choque entre esta sensibilidad y la piedra fría del realismo ambiente. La sensibilidad es el factor que determina la existencia de estos tres individuos; y en su debilidad tienen que buscar un regazo de mujer para descansar sus frentes angustiadas y huir de las asperezas del mundo. El niño que enloqueció de amor halla su refugio en el amor que siente por Angélica; y al no ser correspondido por ella, pierde la razón. Lucho busca primero la protección de la madre, y muerta ésta implora el afecto de la primera prostituta que encuentra en su camino; después su prima Blanca se le presenta como el ideal máximo y desdeñado por ella piensa sólo en el suicidio, hasta la llegada de Teresa. Cuando Teresa le abandona, Lucho deja de ser, queda aniquilado, muerto. Para Moreau la vida es imposible sin el amor de las mujeres. Todos estos caracteres viven en el ensueño más que en la realidad; la vida interior parece que les destruye esa facultad de acción indispensable en las sociedades modernas.

L'Education sentimentale es el libro del ensueño opuesto a la realidad. Los ojos de Moreau deshojan sobre el río de la existencia las imágenes que él mismo ha plasmado. Así como las corrientes de agua se resuelven en una eterna fuga, estos caracteres van en perpetua evasión y sólo se comunican con el mundo a través de sus amores. Moreau no vive sino cuando expresa su pasión por La Maréchale y Mme. Dambreuse y sus quiméricos sueños por Mme. Arnoux. Lucho va como un sonámbulo por el mundo hasta que encuentra su realidad, primero, en el amor carnal de la Meche y después en el imposible amor por su prima Blanca. Y en Teresa vive en unos cuantos meses toda su juventud.

En visiones quiméricas que arden por dentro se queman estas vidas. Federico Moreau llena sus horas con ideas de gloria y de grandeza. Ya es el escritor famoso, ya el político influyente, ora el hombre de negocios afortunado, ora el parisién conocido por el éxito de sus amores. Lucho se cree eternamente adorado por una mujer, triunfador en medio de hermosas damas, héroe de arrepentidas Magdalenas.

Pero sus sueños jamás llegan a cumplirse y sólo sirven

para dejarle en los labios y en el alma un amargo sabor;
y si logran acercarse a la realidad se rompe la quimera: el
objeto soñado resulta inferior a la fantasía. Así cuando
Moreau acompaña a la Maréchale por entre la elegante
multitud del Champs de Mars:

> Alors Frédéric se rappela les jours déjà lointains où il enviait
> l'inéxprimable bonheur de se trouver dans une de ces voitures
> à côté d'une de ces femmes. Il le possédait ce bonheur là et n'en
> était pas plus joyeux.

Federico se aburre en las carreras y en el paseo y el
sentimiento del amor le abandona. Mme. Arnoux le encuentra y se escandaliza de hallarle en compañía de La
Maréchale; Mme. Dambreause le contempla con una sonrisa de insultante desdén y La Maréchale no sólo invita
al estúpido señor de Cisy a su cita con Federico en el
Hipódromo, sino que se va con él después de la cena y
Federico tiene que pagar la cuenta:

> Maintenant il laissait toutes les femmes, et des peurs l'étouf-
> faient, car son amour était méconnu et sa concupiscence trompée.

Del mismo modo asistimos a los planes del muchacho
sentimental, héroe de la novela de Barrios. Por muchos
días ha soñado con las cercanas fiestas de carnaval, en la
matinée infantil de máscaras que ofrecerá doña Carmen
Bomaison de Pulgar. Luis quedó encantado con la invitación y se prometía todo un mundo de placeres:

> Se dió a soñar escenas de maravilla en las que lo normal tras-
> trocábase por completo y se invertían todos los valores de lo
> serio y de lo cómico, para danzar en un frenesí alegre, en un
> vórtice de locura. Veíase Lucho con aquel traje a cuadros verdes
> y amarillos, sonoro de cascabeles, diciendo cosas divertidas para

desconcertar a todos y él quedarse tan fresco. Su almita recon-
centrada se poseía de todos los vértigos, de todos los contagios
del regocijo colectivo, y se retorcía de antemano frenética, en un
torbellino de músicas, gritos, saltos, bromas, golpes y dichosos
estertores.[14]

Pero el día de la fiesta le vence la timidez, y detrás de
la careta se entrega a la tortura del análisis. Habría en-
fermado si no hubiera sido por la mano protectora de
papá Juan. Arlequín taciturno, le había dicho su madre;
y en la fiesta, Julio Fuentes le grita: *Arlequín pavo*.

Años más tarde, mientras su padre agoniza, Lucho sale
a divertirse en la noche de carnaval, pero va devorado
de remordimiento y de tristeza:

Como de niño, en casa de los Pulgar, sentía el desaire de su
espíritu flotar como una cosa floja en medio de la general locura.[15]

Y se siente otra vez *Arlequín taciturno* y *Arlequín pavo*,
aunque ya ha perdido la ingenuidad de la infancia.

Otra de las características comunes a todos estos héroes
es su incapacidad para la acción. Toda la actividad de sus
cerebros torturados y de sus corazones doloridos es trabajo interno que, al vaciarse en los surcos de la expresión
externa, se va consumiendo como los arroyos en terrenos
áridos. Cada vez que Federico se acerca a Mme. Arnoux
se siente cohibido y no puede declarar sus sentimientos,
dejándolo siempre para la próxima entrevista; la misma
timidez le detiene cuando trata de arreglar sus asuntos con
Dambreuse. Y el mismo proceso psicológico se observa
en Lucho. Un vago temor se apodera de él cuando quiere
romper la helada atmósfera del mal expresado afecto pa-

---

[14] *Un perdido*, págs. 34, 35.   [15] *Ibid.*, pág. 205.

ternal, y pasan los años sin que padre e hijo lleguen a las confidencias salvadoras. El teniente Blanco estaba en la verdad cuando dijo al joven:

Tu padre es, en el fondo, tan afectivo como tú; sólo que, como tú, es también un tímido. Otra explicación no cabe. Ya ves: no eres sólo Vera. Los nervios, los nervios, como decía él, la timidez, digamos para ser más claros, los ha estado separando.[16]

Infinitas veces se imaginó Federico triunfador en la lucha social, pero cuando se le presentaba la ocasión de demostrar su valor, intervenía el fatal espíritu analítico y la idea del fracaso ahogaba su esfuerzo:

L'action pour certains hommes, est d'autant plus impracticable que le desir est plus fort. La méfiance d'eux mêmes les embarrasse, la crainte de déplaire les épouvante, d'ailleurs, les affections profondes ressemblent aux honnêtes femmes, elles ont peur d'être découvertes et passent dans la vie les yeux baissés.

Y Lucho se siente atleta en la Escuela Militar, pero cuando tiene que hacer los ejercicios en la barra, fracasa. Y el miedo invencible ante la vida le ata la voluntad cuando, después de perder su empleo en la Biblioteca, no hace nada por encontrar medios de vida. Si no hubiera sido por su hermana Charito, Luis se habría muerto de hambre.

El abandono y la soledad hacen ambiente grato a estos caracteres. En L'Education sentimentale Federico festeja a sus amigos; pasa días enteros arreglando sus habitaciones y hace preparar un suntuoso banquete. Anticipa una noche de alegría fraternal, pero cuando sus amigos critican sus muebles, sus libros, etc., no puede ni siquiera

---

[16] *Ibid.*, págs. 100, 101.

conversar con ellos, y cuando ya parten, se queda en medio de la habitación solo, absolutamente solo, como había estado toda la noche. El protagonista de *El niño que enloqueció de amor* no juega con sus compañeros, es distinto de los demás, es un solitario. Lucho también es desde niño triste y se aparta de los muchachos que rebosan salud. A través de toda su existencia es un extraño entre la mayor parte de los hombres. Esta sensación de abandono y de soledad hace nacer en estos temperamentos una idea constante de inferioridad; Federico y Lucho fracasan en sus amores y en sus planes de trabajo por esta certeza que tienen de su propia ineficacia; se cruzan de brazos y dejan que los fuertes, los de voluntad, recojan el botín a ellos destinado. Individuos mediocres enamoran a esas mujeres que debieran ser de ellos; incapaces e imbéciles ocupan los puestos que ellos creyeron demasiado altos.

Existen otras similitudes entre *El niño que enloqueció de amor* y *L'Education sentimentale*, en algunos incidentes y en el método de caracterización. Deslauriers se burla de Federico cuando habla de Mme. Arnoux e imita su manera de hablar. El pequeño héroe de la novela de Barrios dice:

> Mis hermanos son de veras muy brutos. Hoy me salió Pedro con que yo era un tonto porque estaba pestañeando, y Enrique me dijo: —Esa es una costumbre de Angélica, y éste la imita porque parece que estuviera enamorado de ella.[17]

Federico le pasea la calle a Mme. Arnoux, ansioso de verla. Pasa infinitas veces por delante de sus ventanas pero, según sabemos más tarde, ha estado contemplando

[17] *El niño que enloqueció de amor*, pág. 53.

una ventana que no es la de Mme. Arnoux. *El niño,* que no ha visto a Angélica por una semana, consciente de su ridiculez, se siente atraído a pasar por su calle en la esperanza de verla en el balcón.

El subjetivismo profundo de estos seres hace que sus espíritus tengan la transparencia e inestabilidad de las aguas tranquilas, siempre sujetas al capricho del viento. Al más leve influjo exterior se alteran y a veces las causas son misteriosas e inexplicables. Federico pasa de una alegría inmotivada y loca a la más negra tristeza; le aflige el más pequeño e imaginado desaire. El *niño* exclama: «Yo pienso entonces en Angélica y a veces me entra una alegría inmensa y otras veces me da esa misma pena suavecita del cielo».

Esas vagas melancolías que matizan la manera de ser de todos los románticos, flotan constantemente sobre las vidas de nuestros héroes. Federico siente extraños deseos no cumplidos, nostalgias de lejanas perspectivas; el *niño* desnuda sus ansias en mirajes de ensueño; Lucho sufre en la indecible melancolía del crepúsculo.

No creo que Barrios haya sido influído directamente por Flaubert, sin embargo. Los protagonistas de las novelas del escritor chileno son esencialmente románticos y, como tales, han sufrido de esa vieja enfermedad del mal del siglo que ha hecho tantas víctimas, desde los días de Rousseau. Esa enfermedad que afligió a los héroes del romanticismo en obras ya inmortales como *La Nouvelle Héloïse,* de Rousseau; *Le ultime lettere de Jacopo Ortis,* de Foscolo; *Die Leiden des jungen Werther,* de Goethe; *René* y *Atala,* de Chateaubriand; *Graziella,* de Lamartine y tantas otras, era conocida ya en América, a través de las páginas de la inolvidable *María* de Jorge Isaacs.

Se ha superado Barrios en su novela *El hermano asno.* En la humilde parla de San Francisco de Asís, el cuerpo bajo y pecador, lleno de tentaciones y apetitos, era el hermano asno. He aquí el origen de este título que en muchos ha provocado una sonrisa maliciosa. Fiel a su divisa literaria, el autor de *Un perdido* vuelve la espalda a la sucia realidad cotidiana y pone sus pupilas en la dulce paz de un convento. Uno de los frailes, Lázaro, hace de narrador y nos va diciendo lo que ocurre en su alma y en las personas y cosas que le rodean. Un desengaño de amor le llevó al convento y en siete años de franciscano no se ha sentido buen fraile menor. A veces se ha preguntado:

—¿Debería, Señor, colgar este sayal? ¿Pero cómo, si conozco del desencanto hastiado a que conducen todos los caminos del mundo? Para el hombre que mucho vivió, Señor, toda senda se repite, y de antemano cansa.[18]

Fray Lázaro, que por haberse convertido en narrador pierde como carácter novelístico, no se ha curado aún de las vanidades mundanas, y cuando siente sobre su alma los ojos amantes de María Mercedes, hermana menor de aquella Gracia que le fué infiel, todo su ser tiembla y su fe vacila. Pero como los caminos del Señor son infinitos, Fray Lázaro se salva casualmente y es enviado a una provincia lejana.

El personaje más destacado de la obra es Fray Rufino, atormentado por su ansia de humildad, enflaquecido por penitencias y cilicios, moderno San Francisco. Fray

---

[18] *El hermano asno*, pág. 11.

Lázaro destina tres cuartas partes de su diario a contarnos las hazañas piadosas de este santo. Porque

Fray Rufino es un santo. Fray Rufino ama tanto a su padre de Asís, que llega a parecérsele como una gota de agua a otra gota. Su mansedumbre es perfecta, y el amor es en su corazón un sol ardiente y esplendoroso que no niega su luz ni a los pequeños ni a los abyectos.[19]

Fray Rufino duerme en el lodo: cura a los animales enfermos; hace que ratones y gatos coman juntos; arrastra a cuestas una cruz enorme; divierte a los chiquillos astrosos de la vecindad, haciendo el papel de borriquillo. Su piedad alcanza en ciertas ocasiones extraordinaria grandeza, como en el siguiente episodio:

—¡Eh! ¡Pst! ¡Padre! ¿Qué hace usted?
No me oye.
Hará media hora que lo veo en trajines. Ha sacado al patio una gran imagen de talla, la de Nuestra Señora del Rosario que antes de la demolición estaba en la enfermería. Y primero la ha remecido, como que cayese algo metido en ella; y aquello, que deben ser muchas cosas muy pequeñas, ha caído; y entonces él se ha quedado como pensativo un rato, y ha vuelto a introducir cuidadosamente todo eso dentro de la imagen. Luego ha corrido no sé a dónde, para reaparecer con la alcuza del petróleo; pero tampoco ha resuelto nada con esto.
No entiendo.
Ahora examina el suelo musgoso del patio; busca, sin duda restos de eso que antes cayera de la imagen. No encuentra más. Permanece dubitativo. Por fin, vuelve a coger en brazos a la Virgen, como quien coge un cadáver, y se marcha con ella.
Voy a ver.
Tuve que seguirle hasta la parte demolida. ¡Oh, cómo está aquello!
Al llegar, me hallé con la Virgen sola, sobre unos grandes

[19] Armando Donoso, *La otra América*, págs. 175, 176.

terrones. Sin embargo, pronto regresó él. Traía una brazada de tablas nuevas.

—¿Qué hace usted, Fray Rufino? ¿Se puede saber?

Vea Padre Lázaro. ¿Se acuerda de esta Virgen? Pues, ¡mire cómo estaba de polillas! Perforada entera, hecha un colador. Lo noté ahora, pasando por la sacristía, donde la hemos colocado mientras tanto. Y, naturalmente, me dije: Voy a sacarle estos gusanos. Cogí este punzón, llevé petróleo, sacudí la imagen. Cayeron, Padre Lázaro, cientos de gusanillos. Unos gusanillos blancos, vivísimos, muy graciosos. ¡Pobres! Se estiraban y se encogían en el suelo, como unos locos ...

—Y le dieron pena.

—Así fué, Padre. Y ahí tiene que me ha faltado el valor para rociarlos o para pincharlos y reventarlos con el punzón, hasta para abandonarlos en el suelo húmedo y frío del patio. ¡Pobrecitos!

—¡Los hermanos gusanillos!

—Así los habría llamado Nuestro Padre y como a tales debemos tratarlos.

—Pero se van a comer la imagen, se van a comer a la Santísima Virgen. ¿A ellos los echaba usted hace un momento dentro de la imagen otra vez?

—¡Ah! Sólo provisionalmente. ¿No ve? Aquí he conseguido estas tablas, nuevas, olorosas ... Sabrosísimas deben ser. Vaciaré a Nuestra Señora hasta del último pobrecito inconsciente de éstos, y a ellos los dejaré sobre estas maderas. Las horadarán muy pronto, y tendrán alimento, casa, abrigo en ellas.[20]

De todos sus actos piadosos, ninguno más hermosamente patético que aquél del perro enfermo, rayano en lo sublime y que tiene que ser citado entero para revelar la perfecta santidad de Fray Rufino:

Fray Rufino está en cuclillas. Tiene delante al perro y, con amoroso afán, le fricciona el lomo, los flancos, el pecho. Usa para ello algo que saca de una marmita.

[20] *El hermano asno*, págs. 65, 66, 67.

—Así ... Así ... —va diciéndole fraternal— ¿Sientes ya calor?
Pica, ¿no es verdad, viejo? ¡Ah, pobre Mariscalote! ¡Mi buen
Mariscalote! Sí, pica mucho. Pero Dios nos ha dado la mostaza
para esto cabalmente ... cabalmente para esto ... Bien ... Acabamos
... ¿Qué tal? ... ¿Estornudas? ... ¡Qué cómico!

Y se levanta. Se me ocurre que observando el resultado de su
obra, sonríe.

La bestia se huele y estornuda más fuerte. Luego se sacude,
azotando con flojedad las orejas contra su pobre cabezota do-
blegada.

—¡Oh! No te sacudas tanto. Basta. ¡No!

Mariscal obedece.

Ambos se miran. Ignoro qué significa la mirada del mastín.
Pero Fray Rufino lo sabe, porque le responde:

—Tampoco, mi viejo, tampoco. Eso, por nada.

Se entienden como dos semejantes. Los humildes poseen la
misteriosa inteligencia de la sencillez integral y descubren el
sentido a los gestos de los animales. Por esta misma virtud, el
perro conoce los deseos del hombre.

Fray Rufino se agacha frente a la caseta de Mariscal, introduce
los brazos y arregla las cobijas.

—Ven—ordena en seguida—Aquí, a abrigarse ahora.

La bestia le mira una vez más. Tan decaída, ni mover el rabo
puede. Mucho menos saltarle encima y entre aullidos de alborozo,
lamerle la cara, como acostumbra. Sólo sus ojos agradecen, sus
ojos tristes y buenos que yo veo fosforecer en la sombra.

—Ya, Mariscal; entra.

El perro camina entonces, lerdo, agachado. Todo su cuerpo
cuelga sobre las patazas debilitadas. A poco andar, hace un alto.
Nuevos estornudos. Alarga el pescuezo. ¡Tiene unas ganas de
sacudirse! ... Pero ve a Fray Rufino y las aguanta. Al fin, resignado, se cuela en la casucha.

Y Fray Rufino coge la escudilla con la mostaza, busca no sé
qué por el suelo y se dispone a retirarse, cuando alguien, sin
duda un borracho que pasa por la calle, descarga en un tumbo
todo el peso de su persona contra el portón.

Violento, salta el perro fuera de su guarida y se pone a ladrar.
Está furioso. Es el terrible Mariscal de siempre. Ha despertado

súbita su bravura ante el peligro. A pesar de la postración, halla fuerzas para cuidar su puerta.

—¡Eh! ¡Quieto!—le tiene que atajar Fray Rufino.

El fraile ha sido rápido también ante el peligro de su bestia enferma. Vivo y lleno de contrariedad, se ha quitado el manto, y lo ha tendido sobre el animal.

—Tienes pulmonía. Y si ahora, con el cuerpo caliente por la fricción, te destapas, y sales al aire helado, te morirás. No, no, pobre Mariscal, no. Sé juicioso ...

Le cuesta mucho sosegarlo.

—¿No comprendes que se trata de un borracho inofensivo? Vamos, calla. Vuelve adentro. Además, eres cándido, pobre de espíritu, y fanático. Te figuras ladrones a todos los hombres. Y no, mi viejo, no lo son; ni se toma el deber con exageración tampoco. Eso se llama fanatismo, ¿sabes? ... Bien. A dormir ahora, quietecito. Aunque ... espera ...

Lo arropa, lo enfardela por completo en el manto.

—Así. Estás con pulmonía, ¿comprendes?

Aplacado, envuelto como un duende, regresa Mariscal a su caseta.

Pero aun allí gruñe. Se teme que salga, pues no quedó conforme.

—¡Eh! ¡Calla! ¿O no me dejarás recogerme a mi celda?

Contesta el rabo cariñoso dentro, a golpes contra las maderas. Pero al menor ruido, tornan los gruñidos roncos.

—¡Hum! Basta, simple. Yo estoy aquí, en todo caso.

Otros golpes de cola responden, aprueban.

—Eso te gusta. ¿no? Que te acompañe. ¡Habráse visto! ¿Me vas a obligar a vigilar por ti?

El coleo se repite.

—Tonto, retonto ... ¡Qué majadería! Sólo faltaba que te substituyera toda la noche, y con el tiempo que hace ...

Sin embargo, no se marcha. Vacila, regaña entre dientes, busca si habría donde sentarse ... Y concluye haciéndolo en el fuste de una columna truncada que asoma entre los escombros.

En realidad, Mariscal quedó muy excitado. Es guardián celosísimo. Además, un humor de enfermo le irrita. De modo que le alarma y enfurece cualquier cosa, un rumor, el distante aullido de otro perro, dos trasnochadores que conversan fuera, un automóvil que irrumpe como una exhalación estrepitosa por la calle vecina y se aleja, todo.

—Bien. Yo vigilaré. ¡Paciencia! pero no salgas. Te mueres, si sales ahora.

Yo siento deseos de aparecerme a este nuevo siervo del amor, y hablarle con ternura, y cederle mi capa. Si permanece allí toda la noche le calará la bruma y lo recogeremos yerto mañana. ¿Por qué no ejecuto el impulso? Acaso porque apenas inicio un ademán, la sensibilidad vigilante de Mariscal me presiente en la sombra, y la inquietud renace y aflijo al santo. Acaso Tú, Señor, dispones que al menos allí, en ese mundo secreto, mientras duermen los demás, vele sin atenuantes ni tibieza tu Evangelio, y lo practiquen dos seres que os aman y sirven oscuros, insignificantes e inflamados. Lo cierto es que algo superior a mi piedad me impide mezclarme.

Y sigo inmóvil y atento.

Una ráfaga viene a estrellarse contra el suelo, rebrinca entre los terrones y, arrastrándose, va y choca en la caseta. Luego caen unas gotas frías. Ladra Mariscal.

¡Chit! Es la lluvia. La lluvia que amenaza, ¿entiendes? Mayor motivo para no moverse ...

Y tras una pausa:

—Hace frío, Mariscal. Te aseguro que a no ser por la Divina Misericordia que me va insensibilizando, no sé cómo te cumpliría mi promesa. Pero estoy perfectamente. Comenzó la insensibilidad por los pies, y ha subido. Me siento a ratos como elevado en el aire. Pero estoy perfectamente. Y al cabo, si esto resultara excesivo, aquí están las disciplinas, para entrar en calor.

Yo pienso, esta vez sí, auxiliarle. Y no puedo: lo evita una fuerza. Ya no lo dudo.

El tiempo transcurre.

A intervalos, escucho los toques de la cola que agradece. El fraile, como si fuera menester al perro saberle allí para estar tranquilo, advierte de minuto en minuto:

—Aquí me tienes, sí. No temas, tontonazo. Duerme.

Entonces flota en la noche un sentimiento de amor y de piedad, algo que hace estremecido el ambiente y a los dos hermanos iguala. Hombre y perro son dos corazones limpios que se hallan contentos porque se aman y se sienten muy unidos.

Pienso dejarlos en paz, irme. Es la voluntad de Dios.

En esto se arma en la calle un tumulto. Riñen. Ha parado un coche. Grita una mujer. Dos hombres se insultan. Y Mariscal asoma de nuevo iracundo. Pero Fray Rufino, más listo que él, se le ha puesto en la boca de su vivienda y le contiene.

—¡Calla! ¡No salgas! ¡No! ¡No ladres tampoco! El pulmón se maltrata ...

Forcejean.

—No Salgas. ¡No! Yo vigilo. ¿No ves que yo vigilo? Y calla, se maltrata el pulmón, te digo ... el pulmón ... ¡Imprudente!

Mientras afuera las blasfemias azotan el aire, y el policía llama con el pito, y chilla la mujerzuela, ambos luchan jadeantes en la puerta de la caseta.

Por fin se calma todo. Aquella mala gente se ha ido.

Pero tan excitado pusieron a Mariscal, que ahora ladra sin descanso. Se cree de veras que sus pulmones se desgarrarán.

—¡Chit! Mariscal, hijo, ladrar también te hace mucho daño, ya te lo he dicho—ruega Fray Rufino—¡Válgame la Santísima Virgen! Calla, viejo. Mi viejo, calla. Que reposen tus pulmones. Calla. Estoy aquí. ¿No me ves? Nadie se meterá por nuestra puerta. ¡Oh! Silencio. Por último, ¿de qué sirven los ladridos? ¿O los crees indispensables? ¿O crees que yo deberé también ladrar por ti, para que duermas tranquilo? ... Bien. Sea. Ladraré. ¡Guau! ¡Guau, guau! ...

Yo, que aproveché la bulla para retirarme sin que me sintieran, me detengo estupefacto.

Hay paz ya. Pero de rato en rato, por miedo seguramente a que se alarme de nuevo el perro y hiera sus pulmones enfermos, lanza el fraile sus ladridos en la noche.

—¡Guau! ¡Guau, guau! ...

Y cuando me interno en los claustros, aun me llegan al corazón, lejanos, atenuados y sin embargo penetrantes como una voz dulce y terrible del misterio de la santidad, aquellos ladridos que de nosotros, los tibios y racionales a quienes empequeñeció esa menguada noción del ridículo, nunca el cielo ha de oír.

—¡Guau! ... ¡Guau! ... ¡Guau, guau, guau! ...[21]

[21] *El hermano asno*, págs. 143–150.

La fama de Fray Rufino va en peligroso aumento. Sus hermanos ya no ponen en duda el milagro; el humilde fraile ejecuta el designio del Señor. Las beatas se acercan al magro franciscano en espera de la revelación. Hasta un senador, atraído por el prestigio del santo, viene a implorar por su beato conducto algún favor de Dios. La humildad de Fray Rufino sufre; se cree en pecado de orgullo, y cuando se acercan las mujeres a implorar su ayuda el pobre fraile huye llorando y les pide que lo dejen, que se vayan, que no le induzcan al pecado. La imagen de su conciencia se le aparece en la forma de un «capuchino» que le amonesta por su soberbia, por dejarse llamar santo, por haber perdido la humildad. Terribles son las palabras del «capuchino»: «Lo mejor que pueda voy a decirte mi opinión, y es que debes considerar como un don que tanto los frailes como los seglares te sean adversos. Has de desear que así y no de otra manera sea. Sé de cierto que en ello estriba la verdadera obediencia y la humildad».

Y con estos terrores, estos arrepentimientos, estas visiones, el dulce hermano se va poniendo más escuálido. En su deseo de humillación trabaja como bestia de carga, no come, no bebe, no duerme, y se flagela. Los ladrillos amanecen por las mañanas rojos de sangre. La aparición del «capuchino» continúa. Le vuelve a echar en cara su soberbia y su vanidad. Buscas el milagro, le ha dicho, y la notoriedad del hecho, y aspiras a la canonización. Otra noche le aconseja que se humille, que castigue su orgullo y niegue su santidad:

Un ejemplo has de dar, por el cual sufras cruelísima tortura y gran menosprecio de tus engañados y aun de todos tus hermanos de la Orden. ¿Conservas en la memoria la parábola de la perfecta alegría?[22]

Fray Lázaro comprende que Fray Rufino desea poner en práctica los consejos del «capuchino», y para volverle al sentido común y a la salud le propone que incurra en la gula y la pereza. Así recibiría el desprecio de sus hermanos. Pero el santo quiere más, desea verse apedreado por los que en él creyeron, pisado en la lengua por la comunidad, castigado por su Guardián. Y ya en plena locura de humillación concibe el acto monstruoso que pone fin a la novela. Una mañana trata de violar en plena iglesia a María Mercedes. He aquí como describe Fray Lázaro la terrible prueba:

No sé para qué anoto ya esto.
Ha sido absurdo. Ha sido trágico. Ha sido absurdo, trágico y grotesco.
Pero esta insensatez, esta escena de manicomio, es el fin.
Apenas entré al locutorio, junto con sentirme sumergido en esa oscuridad donde su voz debió mecerme, sufrí violenta la remoción de aquel tumulto. Un jadear angustiado, un grito que se aprieta y no logra salir, un último, desesperado forcejeo y un cuerpo que rueda y viene a parar contra mis piernas. Todo en instantes, en lo indispensable para que mi vista se acomode a la penumbra. Luego, María Mercedes que apostrofa: ¡Bestia! ¡Bestia!, y huye despavorida. Lleva rasgado el corpiño; sus manos se agitan, son dos aspas blancas y enloquecidas en el aire negro; su devocionario ha caído y el chicuelo de una mendicante, que estuvo asomado al portón, lo recoge y corre tras ella. Nada más. Yo no consigo moverme. El espanto me paraliza, porque todo lo he comprendido: a mis plantas, gime Fray Rufino y se retuerce.
Colérico, en una brusca reacción, empujo con el pie aquel

---

[22] *El hermano asno*, pág. 214.

bulto. El vuelve a gemir. Lo cojo entonces por los hombros, lo alzo como un muñeco sin peso, lo remezco y me encaro con él:

—¡Qué es esto! ¿Qué ha echo usted?

—Sí ... ¡Grite! ¡Grite!—dice, más bien exhala, sin voz, semejante a un fuelle roto—¡Llame! A mí me faltan las fuerzas ... ¡Ya pueden escupirme! Pregónelo ... Yo, el «hermano asno» ... Yo, el inmundo, que personificó la lujuria ... ; ¡Que todos lo sepan! El «hermano asno», yo, he pretendido violarla ...

Lo rechazo, indignado, rebelándome. Y se desploma, azota sus huesos y su cráneo flaco sobre el entarimado. Llora y sus sollozos parecen estertores. En seguida lo arrastro hacia el claustro, a la luz, y llamo. Pero ni el hermano portero está en su cuartucho.

—¡Qué ha hecho usted, infeliz!

Ya no hablaba. Tenía las pupilas vidriosas y fijas en mí, descolgada la mandíbula, con espuma las comisuras; y sus mejillas se inflaban y sumían agónicas.[23]

Consumada ya la expiación de su pecado de orgullo, el cuerpecillo endeble no puede ya resistir y Fray Rufino muere.

Ahora Fray Rufino, despreciado por los hombres puede aspirar al reino de Dios.

Espíritus mezquinos han querido ver un motivo antirreligioso en la obra de Barrios; otros han creído ver un final en desacuerdo con la orientación de la novela; para mí este desenlace no sólo es posible sino lógico, y estaba ya previsto en las órdenes terminantes del «capuchino», es decir, de su propia conciencia. Sería absurdo concebir que un novelista que tan harmoniosamente ha penetrado el espíritu franciscano, fuera a manchar su clarísima concepción con una vulgaridad de esta naturaleza. Y me parece que hasta desde un punto de vista teológico la

[23] *Ibid.*, pág. 230, 231.

actitud del fraile está perfectamente justificada. Para demostrar que su acción cae perfectamente dentro de los cánones cristianos, cita Luisa Luisi en su *A través de libros y de autores* el antecedente histórico de María Egipciaca que, yendo a expiar sus culpas al desierto, después de larga vida de continuos pecados, y sin recursos para pagar el óbolo destinado al barquero que había de pasarla a la otra orilla del río, entrega a éste su propio cuerpo, como precio del pasaje.

Se podría creer, por el título del libro, que el hermano asno triunfa de la seráfica conducta del buen fraile y que su flaca carne es la que ordena en esa hora trágica en que ataca a la joven. ¿Ha querido el autor dejarnos el venablo de la duda clavado en nuestro pensamiento al cerrar su libro transparente? Así lo entiende Luisa Luisi en su ensayo sobre *El hermano asno,* con su fina sensibilidad de mujer que antes que criticar desea explicar:

Pero el autor no quiso darnos la evidencia. Y con un recurso magistral de arte dejó en los espíritus una duda. ¿Fué deliberado, consciente, premeditado, en vista de su salvación futura, el acto repugnante de fray Rufino? ¿O bien, en la semi-inconsciencia de su locura, torturado, alucinado, neurótico, fué víctima a la vez, de su misticismo y de su bestialidad? ¿Disfrazó el instinto comprimido, de visiones místicas, la necesidad apremiante; y el sistema nervioso, relajado por la vida de excesivas privaciones y trabajos, no obedeció de pronto a la voluntad y a la conciencia? Eduardo Barrios no lo dice. Y de esta duda, de esta obscuridad psicológica nace un interés mayor, un problema más cautivante, ya que nunca las acciones humanas obedecen a la unilateralidad de un motivo único que las solicita. La complejidad, la vaguedad, la obscuridad de los móviles de la conducta humana es un factor inapreciable de sugestiones y por lo tanto, de Arte.[24]

[24] *A través de libros y de autores,* Buenos Aires, 1925, págs. 209, 210.

Hace algunos años escribí acerca de *El hermano asno* lo siguiente:

Esta novela está escrita en prosa cristalina y sencilla. Ofrece algo del encanto de la prosa de Valle Inclán, pero Barrios es más llano que el escritor español. Es éste un libro quietista. El paisaje viene hacia el autor, sereno, melodioso. Parece que sobre el libro hay tendido un gran silencio. Este libro está escrito en tono menor, con una sencillez bíblica; parece que el autor, después de haber entrado en la floresta de los místicos españoles, ha salido de ella perfumado de humildad y de fervor místico, de amor por los seres y por las cosas.[25]

Palabras que repito ahora porque parecen definir sintéticamente el estilo del escritor chileno y porque, en la novela que ahora estudio, tan importantes como los caracteres, y acaso más, son el ambiente y el estilo. El convento franciscano, lleno de paz y de frescura, está admirablemente descrito. Ahí están la tierra áspera del huerto y el cielo suave, el arroyo, los pájaros y los perfumes. Del piso alto se ven las copas de los árboles, los tejados lejanos. Hasta allí llegan, cuando está delgado el aire, el campanilleo del tranvía, gritos dislocados y sueltos. Pasan nubes altas por el azul, hay un silencio inmediato. Y así no es de extrañar que esta suavidad y esta dulzura penetren en el alma de los hermanos y las dejen pulidas, brillantes, frescas, como esas piedrecillas quietas en el fondo de los arroyos. Cuando Barrios escribe:

Una paloma muy blanca bajó del olivo viejo, se posó en el brocal del pozo y se puso a beber el agua estancada en los maderos carcomidos, sin cuidarse de que el hermano Juan subía el cubo para llenar una escudilla de greda.

---

[25] A. T.-R.: *Eduardo Barrios, novelista chileno*, «Hispania», VIII, 1925.

Por fin, me pongo de pie, abro las manos, cierro los ojos y levanto al cielo la cara; y el sol resbala su tibieza entre mis dedos, la derrama por mis facciones inmóviles, pasa a través de mis párpados y toma posesión de mis venas como una divinidad del bienestar.[26]

Cree el lector en la bondad de los frailes y en que esa bondad es sólo la subjetivación de la belleza del mundo.

Dice Hernán Díaz Arrieta que «Barrios es de los pocos autores chilenos que comunican vibración emotiva al lenguaje»,[27] lo que equivale a poner de relieve su calidad de poeta. *Alsino* de Pedro Prado y *El hermano asno* son los dos libros mejor escritos de la literatura chilena. En ellos hay más poesía que en tantas obras en verso que andan por ahí. Este estilo breve, sugerente, de una diamantina sencillez, musical sin esfuerzo visible, del *Hermano asno,* es el producto de una emoción afinada en largas horas de análisis y expresada por fin con singular maestría.

A través de sus citas y de su misticismo elegante se echa de ver la influencia benéfica de Amado Nervo. Pero es evidente también que Barrios se ha leído con provecho a Tomás a Kempis y el *Nuevo Testamento,* y que está familiarizado con la rica prosa de Fray Luis de Granada, Santa Teresa y Fray Luis de León.

Citar trozos y pasajes para ilustrar el mérito de su estilo sería inútil, ya que *El hermano asno,* como novela poemática, está hecho de un todo indivisible. El mismo Barrios ha dicho en alguna parte que el procedimiento literario y el carácter del tema no son los elementos más

---

[26] *El hermano asno,* pág. 23.
[27] Alone [pseud.], *Panorama de la literatura chilena durante el siglo XX,* Santiago, 1931, pág. 80.

importantes de una novela; su valor está en el efecto que
la misma tenga en el espíritu del lector, de su facultad
comunicativa. De la intensidad de la concepción depende
el vigor de la obra y así el buen técnico será vigoroso
aunque use «la sugerencia alada e inapresable».

Para terminar séame permitido citar aquí las palabras
de Díaz Arrieta, que definen en admirable síntesis el valor
de las tres novelas de Eduardo Barrios:

> Para hallar el equilibrio entre *El niño que enloqueció de amor*
> y *Un perdido,* hay que llegar a *El hermano asno,* sin duda la
> producción más perfecta de su autor, acaso por ser la que mejor
> responde a su temperamento, mezcla de elementos místicos,
> vagamente religiosos, de sentimentalismo sensual, no en el aire,
> pero tampoco demasiado en la tierra, con un fondo de aventuras
> experimentadas y a veces extraordinarias. Ni criollista ni imagi-
> nista, ocupa un acertado término medio.[28]

Aunque Barrios no es criollista, toda su obra es de raigambre americana. *El niño que enloqueció de amor* refleja una sensibilidad muy chilena; *Un perdido* presenta
problemas sociológicos y morales propios de nuestro
continente; *El hermano asno,* tanto en forma como en
contenido, es labor típica de hombre de América. En un
término medio pues, entre el criollismo de Federico Gana,
Mariano Latorre, Fernando Santiván, González Vera, y el
modernismo de vanguardia de los escritores jóvenes, hay
que colocar el fuerte americanismo de Eduardo Barrios.

---

[28] *Ibid.,* 80.

BIBLIOGRAFIA

Del natural, Iquique, Chile, 1907.

El niño que enloqueció de amor, Santiago, 1915. Seg. ed., Santiago, 1920.

Un perdido, Santiago, 1917. Seg. ed., Santiago, 1918; terc. ed., Buenos Aires, 1921.

El hermano asno, Santiago, 1922. Seg. ed., Madrid, 1926.

Páginas de un pobre diablo, Santiago, 1923, (Cuentos).

Y la vida sigue, Buenos Aires, 1925, (Cuentos y notas autobiográficas).

TRADUCCIÓN AL FRANCÉS

El hermano asno, por Francis de Miomandre, «Revue de l'Amérique Latine», Vol. XXII.

Manuel Díaz Rodríguez

Manuel Díaz Rodríguez
(1868–1927)

AMÉRICA se olvida pronto de sus escritores; una trans-
mutación completa de valores hace que en estos países
nuevos los trabajos del intelecto ocupen un lugar inferior
en la escala social de las actividades humanas. Un poeta
o un novelista serán aceptados si son coincidentemente
hombres de letras y políticos, educadores o miembros de
la alta clerecía. La incomprensión y el silencio siguen a
nuestros escritores más allá de la tumba y muchos nombres, hoy ignorados, se oirán ese día en que la alta cultura
y la crítica original ocupen el lugar de las normas con-
vencionales y espurias de nuestro tiempo. Muchos de
nuestros pensadores y literatos vivieron pobres, tristes,
aislados, prisioneros en ciudades mezquinas, con vecinos
vulgares. Después de muertos, una crítica embrionaria y
compadrera no ha tenido tiempo, voluntad ni preparación
para estudiarlos y definirlos. Y así se da el caso bochor-
noso de que escritores como Fernández Lizardi, Heredia,
Olmedo, Mármol, Altamirano, José Asunción Silva y
veinte más, no hayan tenido comentadores dignos de su
valor.

Antes de los quince años de su muerte el nombre de
Manuel Díaz Rodríguez empieza a ausentarse demasiado

a menudo de nuestro mundo literario. Menos feliz que sus contemporáneos que se expresaron en verso, y que por lo tanto han sido incorporados a una *élite* especial que pasará entera al futuro, y menos afortunado que José Enrique Rodó, maestro de la prosa modernista, ungido ya con el óleo de la inmortalidad, Díaz Rodríguez tendrá que descontar toda influencia ajena al arte, y fijar su nombre en el tiempo por el mérito intrínseco de su obra, o desaparecer. Para la gran masa ignara, este escritor no existió; para los lectores de Fernández y González o de Fernán Caballero no tuvo interés alguno y ahora, para la vanguardia intelectual, es un caso más de prosador modernista, ya *démodé*, porque se preocupó demasiado de la forma, como si fuera delito escribir bien donde tantos lo hacen mal.

Para escribir con elegancia en nuestros países, para burilar estatuas de clásica perfección, para recrearse en el culto de la palabra, hay que tener heroísmo. Lo tuvieron José Enrique Rodó y Rubén Darío; lo tuvo Manuel Díaz Rodríguez en esa patria suya, oprimida y sufriente.

Cuando Díaz Rodríguez empezó a escribir, allá por el último lustro del siglo pasado, el modernismo estaba en su apogeo. América conocía ya la voz heroica de José Martí, 1875; los *Cuentos* de Gutiérrez Nájera, rítmicos, alados, transparentes, 1883; la prosa brusca, lapidaria de González Prada; algunas páginas de Asunción Silva y sobre todo las maravillas que recogió Darío en su libro *Azul*, 1888. El momento literario era propicio.

Hasta 1900 no hay sino promesas de maestros de la prosa. El último cuarto del siglo fué de exaltación poética y por este motivo los buenos prosistas fueron también poetas y en calidad de tales pasaron a la historia literaria. Para que el modernismo no se limitara a la poesía hacían falta un crítico, un novelista y un dramaturgo, que aplicaran a estos géneros los principios de la nueva escuela. Ese crítico fué José Enrique Rodó; ese novelista, Manuel Días Rodríguez. El dramaturgo no apareció jamás.

Es por esta razón que el noble escritor venezolano es doblemente importante en nuestras letras, como artista de verdadero temperamento y como harmonioso cincelador del estilo. En el futuro, cuando se trate de demostrar cuán completa fué la renovación de la prosa castellana en América, el análisis de la obra de Díaz Rodríguez será indispensable, porque él cinceló su frase con la paciencia y el refinamiento de un Flaubert.

Díaz Rodríguez es el más alto exponente de la prosa modernista de Venezuela, lo que equivale a decir que es el estilista por antonomasia. Por 1898, año en que Díaz Rodríguez publica sus primeros cuentos en las páginas de *El cojo ilustrado* y cuando ya es su nombre conocido por sus libros de viaje y sus ensayos, *Sensaciones de viaje*, 1896, *Confidencias de Psiquis*, 1897, y *De mis romerías*, 1898, se opera en Venezuela un cambio brusco en la manera de concebir la expresión literaria. Ya Luis Manuel Urbaneja Achelpohl[1] ha publicado algunos de sus cuentos en los cuales, a través de una concepción romántica de la intriga y un derroche no menos romántico de paisaje, se nota un espíritu nuevo; atraen a este escritor los tipos campesinos, cuyo idioma hablado conoce él muy

---

[1] Véase su novela criolla, *En este país*, Buenos Aires, 1916.

bien, la belleza de los cuadros de costumbres y de la naturaleza, el vasto panorama de la miseria social y política de su patria. Todo esto lo expresa en un lenguaje llano, vigoroso, que a veces, elevado por la aplicación de la fórmula modernista, se convierte en un maravilloso instrumento artístico. En las páginas de las revistas *El cojo ilustrado*, 1892, y *Cosmópolis*, 1894, aparecen ya los nombres de dos escritores que van a figurar más tarde entre los más caracterizados cultivadores de la prosa exquisita y elegante, Pedro César Domínici[2] y Pedro Emilio Coll.[3] Diez años antes, en la mañana del modernismo, José Gil Fortoul, ese conocedor de Banville, Flaubert, Bourget y Mendès, había publicado su novela *Julián: bosquejo de un temperamento,* en que se demuestra perito en problemas de estilo al tratar de romper en forma determinada la tradición académica. Gonzalo Picón Febres abre su espíritu a todas las manifestaciones culturales de Europa y en libros como *Nieve y lodo,* 1895, ofrece una de las primeras novelas de tendencia psicológica en un estilo francamente moderno. Un poco más tarde da a luz Miguel Eduardo Pardo su famosa novela *Todo un pueblo,* 1899, antecedente inmediato de *Idolos rotos* de Díaz Rodríguez. A pesar del gran deseo de hacer literatura nacionalista, criolla, triunfa el modernismo por todas partes. Rufino Blanco Fombona,[4] una de las personalidades más

---

[2] Véase su novela *Dionysos,* Paris, 1907, en elegante aunque artificial estilo, y *El cóndor,* Buenos Aires, 1925, de corte americano.

[3] Véase *El castillo de Elsinor,* Madrid, 1916, y *La escondida senda,* Madrid, 1927.

[4] Blanco Fombona es uno de los polígrafos más destacados de nuestro continente. Ha escrito novelas criollas de recia estructura como *El hombre de hierro,* Caracas, 1907, y *El hombre de oro,* Madrid, 1916. La novela es para él una de las manifestaciones casuales de su espíritu creador multiforme.

La literatura venezolana existió hasta la muerte de Gómez fuera de Venezuela, literatura de desterrados y de descontentos, de espíritus libres, de hombres asqueados de la miseria moral de su patria. Cuando oigamos esos comentarios usuales de críticos extranjeros: «se han europeizado hasta perder su personalidad», «no representa la tendencia criolla», «parece que hubieran nacido en París», etc., etc. señalemos la causa, expliquemos el por qué y miremos con admiración el ejemplo de estos escritores que abandonaron los paisajes queridos de su niñez para buscar tierras más hospitalarias y más nobles donde dedicarse al cultivo del arte y a la libre expresión de las ideas.

La mayor parte de los novelistas modernos han escrito sólo una novela: la novela de sus vidas. Esto es tanto más cierto cuanto más intensa es la vida interna del autor; de aquí que sea una verdad absoluta en los poetas. Y como Díaz Rodríguez es por sobre todo un exquisito poeta, dos de sus tres novelas no son otra cosa que su autobiografía espiritual. Como la novela contemporánea ha venido circunscribiéndose cada vez más al análisis psicológico y de todos los seres aquél que conocemos mejor es nuestro propio yo, resulta que en cada individuo hay un novelista en gestación; de aquí la superabundancia del género; de aquí que hombres y mujeres de todas edades y de todas las clases sociales vuelvan los ojos a su pasado, como lo hicieron Dostoievski y Proust. Alguien ha dicho que todo hombre ha escrito versos en su juventud. Ahora se podría agregar que todo individuo ha querido alguna vez eternizar en la palabra escrita las experiencias de su vida que para él, Ulises incomprendido e ignorado, son trascendentales, superiores a las de los más grandes novelistas. Muchos han llegado a escribir y aun a publicar sus novelas que fueron, según el decir de los demás, un triste fracaso. Pero para el autor, malo o pésimo, ellas constituyen su mayor tesoro, y quedarán, despreciadas por críticos y lectores, eternamente gratas en su memoria y guardadas como reliquias en el lugar predilecto de su biblioteca. Si se fracasa en el esfuerzo, aun antes de emprenderlo, el hombre volverá a la vida, satisfecho de vivir su novela, intensa o superficialmente.

La primera novela de Díaz Rodríguez, *Idolos rotos*, trata de la vida de un joven caraqueño, Alberto Soria, que después de cinco años de estada en París vuelve a su patria convertido de ingeniero en escultor. Restituído a su hogar, trata de dedicarse al cultivo de su arte y a la regeneración de su patria, en poder de cretinos y de oportunistas. Su honradez de hombre y de artista fracasa en un ambiente dañado, su reputación sufre en boca de correvediles y murmuradores, y por fin, ante el espectáculo de sus estatuas mancilladas por una soldadesca ebria, ve el fin de su patria, ahogada por la Gorgona Democracia. Paralelamente a este desarrollo del carácter de Alberto, en lo que podríamos llamar actitud cívica, le seguimos en sus inquietudes por llegar a un perfeccionamiento artístico absoluto y en sus torturas sentimentales, causadas por la enfermedad y muerte de su padre, por el matrimonio desgraciado de su hermana y por el fracaso de sus propios amores, pues, él mismo es una víctima más del relajamiento moral y se deja enredar en amores adúlteros y sensuales, abandonando a una novia pura y comprensiva,

Y ante el derrumbe de su hogar, de su amor, de su ensueño de belleza, lo único que le queda es el deseo de huir, de escaparse de esa ciudad bárbara y de buscar en pueblos más cultos la tranquilidad y la estimación.

Fácilmente entonces podrían sacarse de este libro tres novelas: Alberto como ciudadano, como artista y como hombre afectivo. El novelista logra dar cohesión a todas estas manifestaciones vitales y hacer una obra que, siendo básicamente un análisis psicológico, se convierte a poco en una tremenda sátira social y en una serie de cuadros de costumbres que requieren la atención constante del lector.

La arquitectura de *Idolos rotos* es bastante frágil. Pertenece a ese grupo de novelas, ya tradicionales en América, en que se contrasta la vida civilizada de París con la semibárbara de nuestras democracias; contraste es éste rico en posibilidades, en tal grado que constituye un subterfugio forzoso, y es en sí una negación, ya que parecería que el escritor fuera incapaz de hacer la crítica de su patria independientemente, sin punto de comparación, enojoso muchas veces.

La novela en general deja la sensación de quedar trunca, de no haber llegado al límite que se fijó el autor al concebirla. Todo lo que aquí se nos dice era fácil preverlo, aunque la culpa no sea siempre del ambiente sino del temperamento del protagonista. Es difícil comprender lo que Díaz Rodríguez entiende por regeneración de la patria; verdad es que expone una serie de problemas, que nos pone delante de los ojos todas las miserias de su país, tipos corrompidos, vicios por todas partes, pero no basta con señalar el mal cuando no se poseen los medios

de remediarlo. Soria, que es un hiperestésico y hasta
cierto punto un abúlico, revela un desconocimiento absoluto del ambiente americano al tratar de transformarlo
con estatuas y conferencias sobre arte. Al insinuar su
decisión de huída, el lector siente que todo ha sido inútil
y que no valía la pena descubrir la llaga cuando no se
tenía el valor suficiente para arrojarse a la lucha y sacri-
ficarse por un alto ideal de patriotismo.

No se me escapa que me he salido de la crítica literaria,
pero en un libro lleno de ideas políticas y sociológicas
el comentario debe ajustarse al espíritu de la obra. La
derrota convenía al plan del autor, empeñado en poner de
relieve los vicios venezolanos; para obtener su fin algunas
veces rompe el ritmo natural de los acontecimientos. El
amor de Alberto por María, que debió haber llegado a
la lógica conclusión de un matrimonio feliz, cambiando
radicalmente el rumbo de la vida del desadaptado, tiene
un desenlace arbitrario y brutal que no está de acuerdo
con la serenidad ática de Díaz Rodríguez.

El novelista conoce a sus caracteres y los entrega des-
nudos en su obra. Alberto Soria es ese tipo, no raro entre
los artistas hispanoamericanos, que después de haber vivido en París y de haberse forjado en la ausencia una
visión ideal de la patria, vuelve a ella para herirse las
plantas en los guijarros de la realidad. Como artista es
de temperamento variable; a veces pasa por un verdadero
frenesí de entusiasmo creador, para caer luego en el más
negro pesimismo; enfermo del mal del siglo, del mal
metafísico que diría Manuel Gálvez, es un producto directo de la *Educación sentimental* de Flaubert. Con un

poquito más de elasticidad psicológica, con más simpatía
humana y más adecuada concepción de la sociedad, pudo
haber hecho cosas útiles y hasta grandes. No espero yo
de Soria una indiferencia regocijada ante la estultez de
los políticos y la ignorancia de los críticos, ni mucho
menos una carcajada ante el espectáculo de sus estatuas
destruídas, como hace el señor D. F. Ratcliff en un libro
sobre la novela venezolana,[5] pero sí una actitud más de-
cidida, más viril.

Una abigarrada galería de tipos atraviesa por las páginas de esta novela. El Dr. Emazábel es un hombre de vida
noble y esforzada, que aspira también a la regeneración
nacional en forma un poco menos vaga que Soria. Su
deseo es librar al país de los abusos de los generales in-
cultos, de los aduladores que andan siempre a la caza de
puestos oficiales, de los periodistas venales, de todos los
parásitos que infestan los ministerios y las calles. Su programa de acción, aunque bastante definido en cuanto a
programa, está hecho de una quimérica ansia de justicia
y redención social:

Emazábel, después de exponer con más o menos vaguedad los
motivos de sus planes, dióse a explicar con precisión y abundancia de pormenores la manera de realizarlos. El había previsto
algunas objeciones, y a medida que se las fueron presentando, las

---

[5] Lacking a sense of humor, as well as common sense, Alberto (and
perhaps our author also!) is unable to laugh at the petty politicians, the
cheap journalists, and the second-rate critics whom he meets in Caracas.
Furthermore, a loud burst of belly-laughter would have been his salvation
when he saw his statues again after the revolution; many were broken, but
his most prized nymphs and goddesses had been the favorite targets for the
not very refined practical jokes of the hearty and ingenuous soldiery. In-
stead of laughter came a determination to emigrate, etc.—Dillwyn F. Ratcliff, *Venezuelan Prose Fiction*, New York, 1933, pág. 182.

fué rebatiendo. Al menos en sus principios, la obra sería de pura propaganda. Esta podría hacerse por medio del periódico, de folletos y de conferencias públicas. El primer núcleo de «obreros» lo formarían los congregados en el taller de Soria y algunos más, y todos debían ser capaces de escribir en los diarios, o de preparar conferencias públicas, o de ambas cosas. Aparte las conferencias y publicaciones hechas en un orden establecido de acuerdo con el vasto plan de la obra, apenas esbozada, los demás escritos y conferencias versarían, según lo requiriese el día y la hora, sobre este o aquel asunto. De la más perfecta libertad de acción gozarían los miembros de aquella especie de liga, sin las trabas engorrosas de los estatutos y reglamentos inútiles de otras ligas vulgares. Dos o tres obligaciones morales podían bastar muy bien como lazo de unión y disciplina. Cada uno sería libre de escoger el campo de estudio de sus preferencias, obedeciendo a sus propias inclinaciones y aptitudes, con tal no perdiese nunca de vista la obra común y el fin de esa obra. Así, mientras los unos lucharan por la próxima resurrección de la justicia y el derecho, trabajarían otros por el próximo advenimiento de la belleza y el arte. Creado el primer centro, foco de energía u oasis moral, se crearían en las demás ciudades del país nuevos focos u oasis, unidos al primero por corrientes invisibles de fuerzas o frescura. «Con el tiempo, esforzándonos mucho, borraríamos—añadió Emazábel—hasta la memoria del desierto moral que es hoy nuestro país, y quedaríamos en poder de una vasta organización de propaganda, en apariencia platónica, fácil de convertir en la sólida organización de un partido político, el cual presentase a los de arriba obstáculo y barrera, y sirviese a los de abajo de salvaguardia y apoyo».[6]

El viejo Soria, condenado a ver el desmoronamiento de su fortuna y de su casa, es una figura patética. Afortunado en sus primeros años, sufre luego la muerte de su esposa, el dolor de ver que sus hijos siguen otra carrera que la trazada por su ambición de padre, la pena de ver

_____
[6] *Ídolos rotos*, págs. 180 y 181.

a su hija casada con el cretino Uribe, de cuya vida nos dan una vaga idea sus palabras:

> Y don Pancho, de una parte con el fin de hacer olvidar al público el suceso bochornoso y cruel, de otra parte con la esperanza de corregir los turbios hábitos de Uribe, consiguió para éste, por medio de sus relaciones personales y las de su amigo y compañero de negocios Almeida, un empleo en Bolívar, en donde el yerno, como en país extraño, lejos de sus amistades de club y otras influencias perniciosas, cambiaría tal vez de conducta. Don Pancho sacrificó a su esperanza lo mejor de su alegría: la presencia de Rosa. Y el sacrificio fué vano. Muy pronto empezaron a llegarle, firmados con el nombre de la hija, telegramas rebosantes de angustia que demandaban dinero. Al primer telegrama, creyendo en reales apuros de Rosa, don Pancho expidió la suma requerida; pero a la segunda vez entró en sospecha, y puéstose a indagar, dió con el engaño. Convencido así de lo estéril de su gran sacrificio, llamó a su lado a los ausentes, y desde ese instante comenzó aquella vida de lucha más o menos encubierta, lucha de cada hora, encarnizada lucha de dos voluntades débiles, una de ellas toda desprecio templado alguna vez de generosidad, la otra toda odio templado siempre de cobardía. Y entre esas dos voluntades, el alma de Rosa en continua ansia de muerte.[7]

El carácter de Pedro, el hermano indiferente y vividor, está muy bien descrito. Esbozados breve aunque seguramente lo están los de Amorós, periodista venal, biógrafo del general Galindo, burdo militarote convertido en ministro a la sombra de la democracia; Antonio del Basto:

> Joven elegante de profesión, pequeño de estatura, siempre muy pulido, en extremo cuidadoso del peinar, con el pelo partido en dos por una raya perfecta que acababa en la nuca, y cuya partícula de nobleza originaba, según rumores, de la humilde trastienda de un modesto negocio de mercería.[8]

[7] *Idolos rotos*, pág. 69.   [8] *Ibid.*, pág. 79.

Mario Burgos, *arbiter elegantiarum* y admirador del anterior; Diéguez Torres, hombre inteligente pero de una bajeza moral propia del medio; el crítico Ramos y el académico Rincones, infelices fracasados, de lenguas viperinas; don Julián Suárez, ministro del Interior, ejemplo de petulancia y vacuidad intelectual; Sandoval, el desgraciado pintor, triturado por la máquina de la política miserable; convertido, después de haber hecho serios estudios en París, en humilde retratista.

Entre los tipos de mujeres el mejor concebido y revelado es el de Teresa Farías, que con su personalidad ambigua de mística y pagana, que necesita de la atmósfera religiosa para dar libre salida a su voluptuosidad, hace vibrar maravillosamente la sensibilidad de Alberto Soria. La hermana de éste, Rosa, constituye ese admirable ejemplo de mujer de nuestra raza que soporta heroica y silenciosamente las miserias conyugales, fiel a una educación que no por ser antigua y arbitraria deja de ser menos noble. El carácter de María, la novia que se esfuerza por comprender el genio complicado del artista, dispuesta también al sacrificio y que reacciona violentamente al saberse engañada, está satisfactoriamente desarrollado. Las mujeres de la familia de Uribe, doña Matilde, Matildita, Enriqueta, convencen casi siempre, aunque a ratos se convierten en tipos genéricos.

Se ha notado la similitud entre *Todo un pueblo* de Miguel Eduardo Pardo, publicado en 1899, e *Idolos rotos*. En efecto, ambas novelas pertenecen al género realista, con una fuerte inclinación hacia el criollismo, mucho más visible en la primera que en la segunda. En ambas encontramos parecidos cuadros de costumbres y las dos son un ataque vigoroso a la relajación de la moral venezolana. Políticos, gobernantes, periodistas, pisaverdes, generales, damas aristocráticas, atraviesan por las páginas de estas novelas en un desfile vergonzoso, desnudas sus almas putrefactas en la impudicia de sus acciones, de sus gestos, de sus palabras. Cuando dos autores de tan diverso temperamento concuerdan en la apreciación de una sociedad como la caraqueña para describirla con tan negros trazos, puede uno estar seguro de que hay algo podrido en Dinamarca. La semejanza reside pues en la misma actitud de crítica social, en la creación de un tipo de apóstol, que en *Todo un pueblo* es Julián Hidalgo y en *Idolos rotos* la combinación Alberto Soria-Emazável. Lo demás lo proporciona Caracas, su paisaje, su pequeñez, su petulancia, la miseria de sus hombres.

Las diferencias entre ambos libros son considerables. Pardo observa la sociedad caraqueña desde el interior, en tanto que Díaz Rodríguez es un espectador con infinitos puntos de comparación. Es decir, hay toda la diferencia existente entre el criollista puro y el modernista que quiere a veces hacer obra de tendencia nacional. *Idolos rotos* es una novela de caracteres más que de acción, a la inversa de *Todo un pueblo,* en que se describen sucesos excepcionales y en que uno de los personajes encuentra una muerte violenta. La definición de lo que es esta última clase de novela, dada por Edwin Muir, se puede aplicar con toda propiedad a *Todo un pueblo:*

Los malos serán destruídos y aun algunos de los buenos pueden ser sacrificados con impunidad siempre que el héroe vuelva, después de sus tumultuosas escapadas, a la paz y a la prosperidad. En resumen, la intriga está tejida más de acuerdo con nuestros deseos que con nuestro conocimiento de la vida. Manifiesta con mayor fuerza que la que nosotros mismos poseemos nuestros impulsos de vivir una vida peligrosa sin que nos pase nada; de revolucionar el mundo, violar todas las leyes, sin tener que sufrir las consecuencias. Es una fantasía de deseos más que un cuadro de vida. Y no es de gran consecuencia literaria sino cuando es en algún sentido novela de caracteres, v. gr. en las obras de Scott y de Stevenson.[9]

Pardo construye su novela con la exactitud de detalles de un Pereda y el espíritu zumbón de un Valera. Posee un humorismo sano y regocijado y parece que las miserias de su patria le divierten. Si a veces adopta una actitud filosófica la abandona inmediatamente o se la destruyen el gesto picaresco, la frase intencionada. De aquí que su novela tenga mucho más movimiento que la de Díaz Rodríguez y llegue a su fin más rápidamente. El estilo cortado, de fuerte color local, incorrecto y liviano, contribuye a esta rapidez. Díaz Rodríguez, en cambio, sigue de cerca la técnica de los realistas franceses, carece en absoluto de humorismo, y se yergue lleno de entusiasmo o de ira, acusador y apóstol. Siente con Soria que el estado ignominioso de su patria le quema las entrañas y quisiera

---

[9] The wicked will be slaughtered, and some even of the good may safely be sacrificed, so long as the hero returns to peace and prosperity after his tumultuous vacation. The plot, in short, is in accordance with our wishes, not with our knowledge. It externalises with greater power than we ourselves possess our natural desire to live dangerously and yet be safe; to turn things upside down, transgress as many laws as possible, and yet escape the consequences. It is a fantasy of desire rather than a picture of life. It is never of much literary consequence except when, as in Scott and Stevenson, it is also in some measure a novel of character.—Edwin Muir, *The Structure of the Novel* (Hogarth Lectures on Literature; London, L. and V. Woolf, 1928), pág. 23.

destruirlo todo para volver a crearlo de acuerdo con sus propias visiones. Su pensamiento se explaya en consideraciones filosóficas, morales, económicas, sociales; de aquí que el libro abunde en digresiones, siempre motivadas. Como posee un espíritu más reflexivo y una cultura superior a la de Pardo, va siempre del hecho concreto a lo abstracto con suma facilidad, lo cual retarda el movimiento de su novela. Con todo, no tendría nada de raro que *Todo un pueblo,* aunque literariamente inferior a *Idolos rotos,* sobreviviera a ésta por sus cualidades de frescura, movimiento e ingenuidad de concepción y de desarrollo. No creo que Pardo haya influído en Díaz Rodríguez. Esta manera de novelar fué común a la mayor parte de los escritores contemporáneos de la América española, tales como Gálvez, Edwards Bello, Eduardo Barrios, Mariano Azuela y Rómulo Gallegos.

Sangre patricia es un estudio de psicopatología. Empieza con la repentina muerte de Belén en su viaje de Caracas a París y su sepultura en el mar. El lector queda informado de que allá lejos, en París, la espera Tulio Arcos, con quien se había casado recientemente *por poder.* Belén, salida del mar de ensueño del novelista, estaba destinada a volver otra vez a ese mar:

Aquella novia que mostraba en su belleza algo del color, un poco de la sal y mucho del misterio de los mares. Bien se podía ver en su abundante y ensortijada cabellera la obra de muchas nereidas artistas que, tejiendo y trenzando un alga, reluciente como la seda y negra como la endrina, encantaron el ocio de las bahías y las grutas; al milagro de su carne parecían haber asistido el alma de la espuma y el alma de la perla abrazadas hasta fundirse en la sangre de los más pálidos corales rosas; y sus ojos verdes eran como dos minúsculos remansos limpísimos, cuajados de sueño, en una costa virgen toda llena de camelias blancas.[10]

Arcos, al saber la muerte de su esposa, enferma gravemente y sólo puede salvarlo el afecto de su compatriota, el doctor Ocantos. Sin embargo, un extraño sueño le persigue, la imagen de la mujer amada, poseída por el mar:

Era siempre la misma rara sensación del baño, el mismo suave descender, balanceándose en una hamaca transparente y viva, y el mismo fantástico viajar por entre valles y colinas, en lo más profundo del océano, hasta la montaña de púrpura sobre cuya cima se alzaba la belleza de Belén, como un lirio abierto sobre una montaña de rosas. Y siempre Tulio hablaba, o se imaginaba estar hablando con la novia, mientras el sueño no se desvanecía, o la novia no se cambiaba en una rígida madrépora.[11]

Los matices claros del color verde le sugestionan, los encuentre en las hojas nuevas de los árboles, en las esmeraldas, en el ajenjo, o en las aguas; en todo lo que le recuerda las olas del océano y los ojos verdes de Belén. Cuando en su empeño por olvidar se aleja tierra adentro, es incapaz de resistir la atracción del mar. Bajo el sortilegio de la *Traumerei* de Schumann, tocada por su amigo Martí, penetró Arcos el misterio profundo de las aguas, el gran silencio del agua después del naufragio, el más vertiginoso y terrible silencio. Desde ese día la visión no se separa jamás de su cerebro; el sueño y la vida son para él un harmónico conjunto, viaja por mares de Sicilia en fantásticas bodas, vividas con luminosa claridad en el reino del subconsciente. Por fin se embarca con rumbo a Venezuela. En todo el viaje está atento a las voces del mar, al llamado constante de la sirena. Y cuando cree haber

---

[10] *Sangre patricia*, Madrid, sin año, pág. 10.   [11] *Ibid.*, pág. 128.

llegado al punto en que se hundió el cuerpo de la mujer amada, después de haber recibido noche tras noche la visita de la sirena que le «despierta a besos y abrazos», se lanza al mar:

Sólo el mar canta y ríe pausadamente. El agua, henchida de fosforescencias, refulge como un ascua. Las ondas, al romperse, ya no se desgajan en flecos de espuma, sino en áureos ramilletes de chispas. Detrás de la popa se extiende como un río, y a los costados del vapor se dilata como un lago, de oro diáfano y rubio. Parece como si todo el oro de una estrella se estuviera disolviendo en el glauco y azul del mar de los trópicos.[12]

Esta novela constituye uno de los primeros ensayos americanos de la literatura del subconsciente, destinada a abrirse en rica floración veinticinco años más tarde. Tiene también la obsesión de la muerte, que caracteriza a la escuela flamenca y que se sintetiza admirablemente en *Bruges la morte* de Rodenbach. La correlación de sensaciones tan cara a Rimbaud, Ghil y Kahn, encuentra eco en *Sangre patricia,* especialmente en lo que se refiere a la influencia de los colores en los estados cerebrales del individuo. Podría asegurarse que el *leit motiv* de toda la obra es el color verde, que parece tener una extraña relación con ciertos estados anímicos anunciadores de la locura. Por esto y por ciertas manifestaciones estilísticas hay que insistir en el valor artístico de la novela que nos ocupa y considerar a Díaz Rodríguez como un verdadero simbolista y precursor de maneras estéticas contemporáneas.

Conviene hacer notar aquí lo inadecuado del título. Parecería que al hablar de sangre patricia se hiciera

---

[12] *Sangre patricia*, pág. 178.

referencia a cierta clase social y que sus características determinaran el complejo caso de Tulio Arcos. No es así, sin embargo. El hecho de que Arcos descienda de conquistadores o de nobles no es aquí causa determinante de los procesos psicológicos por que pasa más tarde. Esa voz que gritaba dentro de él a los veinte años: «Un Tulio Arcos no puede quedarse viendo pasar la vida como se queda viendo pasar el agua del torrente un soñador o un idiota», es una voz falsa. Hay que ver en su propia individualidad, en su temperamento, en su cultura moderna, los motivos iniciales, los gérmenes de su obsesión. Los patricios de nuestras pobres democracias sólo muy raras veces podrían ser reconocidos en las siguientes líneas con que Díaz Rodríguez trata de fijar la idiosincrasia de su protagonista:

Por sus modos de ser, ya desde muy atrás algunos le consideraban como «un hombre original o muy extraño». Esos mismos no tardaron entonces en averiguarle un cierto extravío del cerebro. Su extrañeza consistía en no sentir y pensar como los otros. Y los otros no se lo perdonaban, como no le perdonaban sus actos de generosidad, porque veían en ellos una injuria.[13]

Peregrina o el pozo encantado se llama la última novela de Díaz Rodríguez. El subtítulo, *Novela de rústicos del valle de Caracas* nos explica de antemano el contenido de la obra. Es en verdad una narración que se refiere a gente campesina, pero hecha por un escritor de extensa cultura y exquisito refinamiento. La trama de la novela es bastante sencilla y poco original. Es la historia de dos hermanos: Bruno, inquieto, despreocupado, alegre;

---

[13] *Ibid.*, pág. 25.

y Amaro, seriote, burdo, trabajador, enamorados de la misma mujer, Peregrina. Bruno, el más joven, es el amante correspondido. Al mismo tiempo que Bruno empieza a alejarse de su novia a causa de ciertas aventuras amorosas extraordinarias que le salen al encuentro, Peregrina descubre que ha quedado embarazada. Inútiles son los consejos de sus amigos para hacer que vuelva el muchacho y se case. Amaro también le ruega que no destruya el honor y tal vez la vida de Peregrina y ante la negativa de Bruno está a punto de matarlo, pero escucha a tiempo la voz de la sangre. Por fin, Peregrina, trata de suicidarse arrojándose a las aguas desatadas de una creciente. Amaro logra salvarla, pero algunos días después muere la joven no sin haber logrado antes que Bruno volviera a su lado y que los dos hermanos se reconciliaran junto a su lecho de agonizante. El pozo encantado es aquel del cual sale algo así como un suspiro y una música como de muchas arpas y violines y que sólo pueden oír las almas ilusionadas en la hora del amor.

Como novela de acción, *Peregrina* carece de originalidad y de pericia técnica. Parece que el plan del autor hubiera sido el siguiente: forjar una trama dramática para presentar unos cuantos personajes regionales, encuadrados en el marco prodigioso del valle de Caracas y proporcionar el color local necesario, ya sea en el lenguaje, en la descripción de las costumbres, en el sentimiento o en las leyendas de carácter folklórico. No se escapa a la pupila sagaz de Díaz Rodríguez que toda la novela criolla hispanoamericana está limitada por un reducido horizonte psicológico y que, por lo tanto, es indispensable elevar a los individuos a un plano ideal, en que predominen por sobre los matices de una región señalada las verdades universales. Por este motivo la obra presente supera a todo lo criollo, y se convierte en una novela verdaderamente clásica en que los dos amantes de siempre, levantados por encima de la vida real efímera, se convierten en símbolos de lo eterno. La serenidad de su actitud literaria le hace concebir esta vez objetivamente, en directa oposición a sus novelas anteriores. A pesar de que los tres protagonistas son humildes rústicos, corre por toda la novela un estremecimiento épico, propio de las grandes narraciones, desde *Tristán e Isolda* hasta la admirable *Mirella* de Mistral. Amaro, el hermano rudo y silencioso, que al recibir la fatal noticia de la traición de Bruno, cae al suelo sin decir palabra, como un toro herido de muerte, es el estoicismo humanizado de nuestra América primitiva; Bruno, el don Juan campesino, es la otra mitad de nuestra idiosincrasia racial; Peregrina representa el triunfo del amor en la muerte y continúa, en lo que más de algún crítico extranjero llamará su debilidad, esa tradición de mujeres españolas que murieron de amor en las candorosas páginas de nuestra literatura romántica.

Como *Peregrina* aparece veinte años después de su dos primeras novelas, Díaz Rodríguez pudo poner en práctica en ella esas teorías sobre modernismo literario que había explicado en su libro *Camino de perfección*, escrito en 1908. En él dice:

En medio a la general confusión individualista, contradictoria y anárquica del arte moderno, se pueden, a mi modo de ver, descubrir y determinar, como caracteres de lo que se ha venido llamando modernismo en arte y literatura, dos tendencias predominantes y constantes que, siempre en harmonía, discurren por cauces fraternales y paralelos, cuando no se entrelazan y confunden, hasta quedar las dos, en un principio separadas y distintas, convertidas en una sola.

Una de ellas es la *tendencia a volver a la naturaleza,* a las primitivas fuentes naturales, tendencia que no es propia del solo modernismo, como no lo ha sido ni lo es de ningún especial movimiento y escuela de arte, porque es causa primera y patrimonio de todas las revoluciones artísticas fecundas.[14]

Y si a la intensidad propia de nuestra vida de hoy, si a la sencillez y la ingenuidad, reconquistadas por la tendencia a volver a la naturaleza, agregamos los caracteres de la tendencia paralela o hermana, que es una indisputable tendencia *mística,* tendremos todos los rasgos principales del modernismo como algunos los entendemos y amamos, tal como balbucea y canta en el verso de Verlaine, tal como surge con voz cristalina de surgente en la prosa de Maeterlinck, tal como enguirnalda con lirios de candor la santa y dulce gloria de Genoveva en los frescos de Puvis de Chavannes.[15]

Las dos tendencias, la tendencia *a volver a la naturaleza* y la tendencia al *misticismo,* aparecen juntas en las épocas de feliz renovación del arte y del sentimiento religioso.[16]

El retorno a la naturaleza lo encontramos en los hermosos y auténticos paisajes con que Díaz Rodríguez adorna sus narraciones. La solemne majestad del Avila, que domina a Caracas; la frescura de las vertientes que descienden en cristalinas aguas desde su cumbre; el verdor siempre renovado de los valles caraqueños; la nevada visión de los cafetales floridos; la gracia joven de los helechos y de las orquídeas. Retorno consciente a la naturaleza es éste, que sirve como detalle accidental en *Idolos rotos,* pero que en

---

[14] *Camino de perfección,* París, sin año, págs. 117–118.
[15] *Ibid.,* págs. 123–124.
[16] *Ibid.,* pág. 124.

Peregrina se convierte en parte integrante del conjunto, a tal punto que a veces parece que el Avila, las crecientes y los cafetales fueran factores determinantes en la vida de los hombres. Pocos modernistas más capaces de reflejar en sus palabras la belleza del paisaje nativo. Su prosa va reflejando bosques, ríos, montes, jardines, con la eficacia del más consumado pintor. Libre del recargado tropicalismo de otros escritores de estas regiones, Díaz Rodríguez depura el paisaje, escogiendo colores y matices, suavizando contornos. He aquí una descripción de una noche de luna en cuyo fondo se alza la serena forma del Avila:

Se oye a los perros ladrar en la lejanía. Ladran a la luna o a los visajes de las cosas vestidas de luna. El más imperceptible movimiento, el más leve murmullo de la dulce noche lívida, alza un eco desmedido y temeroso en la imaginación de los perros guardianes. Y los múltiples aullidos exasperados, dispersos en ranchos, cortijadas y caseríos, detonan sobre la unánime serenata de infinitos y obscuros músicos agrestes. Dentro y fuera del repartimiento, bajo la arboleda del cafetal, resuena y se prolonga la orquesta de los grillos. En ella el oído avezado reconoce muchas variedades de estilos e instrumentos. Hay maestros menudos que sacan una fina nota de vidrio de violincito estridente; los hay que tienen una nota aflautada y sedeña de viola, y otros grandes, como grandes tazas grises, cuyas notas parecen notas de violoncelo, profundas. Toda la vida del campo acaba por condensarse, poco a poco, en la música del grillo, en la exaltada fantasía de los canes, y en el Avila, que luce más enhiesto en la noche. Bañado de luna, sin la menor pincelada de nieblas, el Avila atalaya el paisaje. Al mismo tiempo que parece velar sobre el valle dormido y sobre el sueño intranquilo del hombre, alza la cresta más nítida como una invitación a las estrellas del cielo. Con sus yermas cuestas divididas por gargantas recónditas de bosque, muestra a la suave luz de la luna los mismos claros y oquedades que a la violenta luz del mediodía. Sólo a trechos la cima surge diferente, muy blanca; rotos cantos de granito resplandecen como de plata bruñida bajo la plata lunar, y en la cima abrupta y pelada se posa la ilusión de la nieve.[17]

En la descripción del matapalo, árbol que produce el caucho, Díaz Rodríguez alcanza una inusitada grandeza lírica:

Centenario y paternal, debajo de su vasta fábrica de hojas, el matapalo cobijaba casi media hectárea de café. De mañanita, sobre todo cuando entre las hojas menudas cuajaba el fruto muy más menudo todavía, era asilo, comedero y alcoba nupcial de todos los pájaros del bosque. Apenas el cucarachero, gris como el ruiseñor y matinal como la alondra, indomesticable por bravío aunque de hábitos domésticos porque suele acogerse a las viviendas humanas, cantaba sobre los muros de la huerta, en el tejado del repartimiento o en los aleros de la casa grande, ya estaba el matapalo vibrando todo de cantos, aleteos y trinos como una poblada y gigantesca pajarera. De los primeros en aparecer, y siempre por casares, en número de tres, o cuatro, o cinco o más parejas, los gonsalitos, con sus plumas de un negro luciente y de un vivo anaranjado, rasgaban como relámpagos el verde claro de las hojas. Y como dóciles a un rito, al nacer el sol, rompían todos juntos en concertada y melodiosa orquesta de flautas. Al mismo tiempo, en vuelo desairado, torpe y brincón, pasaba de rama en rama la paraulata ajicera de larga veste parda y grandes ojos amarillos. A manera de gavilán, el cristo se posaba en la propia cima del árbol a dar desde ahí, de cuando en cuando, el grito monótono y único de donde el nombre le viene. Algunos tordos pasaban en medio da una turba de arroceros, pájaros incontables y pequeñitos que son como la escuela primaria de la gente alada y cantora. Y entre los más numerosos, aunque no de los más pequeños, los azulejos, trajeados de azul, se ganaban, por su loca algarabía, las palmas del escándalo. Pendencieros, en continuo debate por la comida y el amor, escandalizaban con sus revuelos y chillidos. En el mismo ardor de su co-

17 *Peregrina*, Madrid, 1922, págs. 16–17.

dicia desperdiciaban la fruta del árbol—especie de higo peque-
ñín, capaz apenas de encerrar una sola gota de miel—porque,
en su altercado perenne, la precipitaban al suelo en tanta copia
que alzaba, al caer sobre la hojarasca vieja del cafetal, un fino
y fresco rumor de lluvia.[18]

Después de la lluvia, la tierra tropical renueva su vida
y su belleza, y de día y de noche los ojos del artista se
extasían en tanta maravilla:

Más alegres cantaban los pájaros al amanecer, y de la tierra
fecundada surgió un ejército de nuevas existencias minúsculas,
un tropel de seres alados o sin alas, musicales o desapacibles,
obscuros o luminosos. Bullentes o inmóviles, ya se arrastrasen por
la tierra o surcasen el aire, abarcaban todas las formas leves,
desairadas o graciosas de la vida. Ceñidos al tronco de guamos
y bucares, mantos de vermes y crisálidas grotescos y blandujos
contenían en promesa enjambres de mariposas. De noche, las
luciérnagas constelaban sementeras y ribazos con sus miriadas de
estrellas fugitivas; flotaba en la sombra de los callejones una red
invisible y sonora de zumbidos y aleteos; en vuelo sesgado o
recto rompían las tinieblas del cafetal como luceros de oro los
cucuyos; en tanto que, por el día, la cigarra, blonda hija de la
tierra, empezó a rayar el diáfano y fúlgido bloque de cristal de
los mediodías con el insistente y diamantino estridor de su canto.[19]

Claro está que Díaz Rodríguez no toma la palabra
misticismo en un sentido religioso. Para él el misticismo
literario es la revelación de esa fuerza por cuya virtud
el poeta sabe descubrir, extraer, y en serena belleza repre-
sentarnos, lo que hay de espiritual en el hombre y en
su obra, o en la planta y en su flor, o en el más humilde
ser y su destino. Ve la aspiración mística en *El reino
interior* de Darío, en la *Sonata de primavera* de Valle

---

[18] *Peregrina*, págs. 81–82.
[19] *Ibid.*, págs. 137–138.

Inclán y en algunos libros de d'Annunzio. En la *Sonata de primavera* el misticismo pasa a ser a veces un tanto baudelairiano o diabólico. El concepto se agranda de tal modo que parece referirse a ese sentimiento de misterio que se apodera de nuestro ánimo en presencia de lo desconocido; el temblor del alma en los umbrales de la metafísica. Por eso llena su relación de voces misteriosas que vienen nadie sabe de dónde; de suspiros y cantos que salen de las aguas; de brujos y encantamientos; de entierros y fantasmas:

Desde entonces las noches del campo comenzaron a poblarse de visiones, encantamientos, fantasmas y aparecidos. Al caer de la tarde, un calofrío misterioso de vida sobrenatural circulaba con la sombra nocturna por los callejones de la hacienda. El pozo de la quebrada y el cafetal que se extiende por detrás del repartimiento fueron los parajes de elección de brujas y duendes, o de almas en pena portadoras de mensajes de la otra vida. Las apariciones menudearon, sobre todo hacia aquel punto del cafetal donde, irguiéndose por sobre guamos, bucares y otros árboles comunes, un gigantesco y prócer matapalo corona, con su estupenda urdimbre de hojas y ramas, complicada y aérea como la aérea y complicada fábrica de un alcázar morisco, la obscura y densa masa del tablón de café.

Ya fué Garzón, quien, cierta noche, llegó en desantentada carrera a desplomarse, perdido el conocimiento, frente a la casa de los amos, porque, según explicaba a poco de vuelto en sí, al pasar por el callejón vió del tronco mismo del matapalo alzarse la imagen de la Muerte y a ésta hacerle visajes y otras señas, como llamándole, mientras lo miraba y seguía con sus huecos ojos de calavera encendidos en llamaradas de azufre. Ya fué el mayor de los Blancos, Ramón, o sea el llamado Tanto-vales-cuanto-tienes, por el estribillo, que constituía su monólogo de borracho, cuando en la tarde se pasaba del número reglamentario de copas, o con toda su familia se entregaba los días de fiesta a las delicias del *champurrio*, y a quien una noche, cerca del matapalo, se apareciera, apoyado contra el tronco de un guamo, a la orilla misma del callejón, una especie de gigante negro que fumaba en pipa. Mientras Ramón, aterrado, lo miraba, el negro se agigantaba cada vez más, hasta ponerse como de sombrero la copa del árbol, y al mismo tiempo que se agigantaba, de modo alternativo fumaba y sonreía, cortando en este último caso la noche con el deslumbrante y nítido fulgor de sus dientes.

Cuando no eran fantasmas, o aparatos, como los llamaba Saturno, un gañán alto y fuerte, encorvado de espaldas, cariancho y un tanto bizco, era, al caer de la tarde, hacia el fin del crepúsculo, el encanto del pozo. Como si de repente el agua cesara de correr, el cauce de la quebrada quedaba seco más abajo del pozo, en tanto que de la parte de arriba el agua seguía afluyendo, y el pozo empezaba a crecer, a colmarse, pero sin llegar a desbordarse nunca, mientras, para sorpresa y espanto de tardías lavanderas y aguadoras, en lo más hondo del pozo misteriosamente rompía a sonar una suave y dulce música de arpas y violines.[20]

Díaz Rodríguez es uno de los grandes estilistas modernos de lengua castellana. Al lado de Rodó y de Valle Inclán, es uno de los escritores que maneja la prosa con más elegancia. Tierne razón Jacques Doumerc al escribir:

La prose à allure classique et au timbre nettement castillan, est maintenant personnifiée en Amérique par cet écrivain de grande race. Après la mort de Rodó, il est seul, ou presque, à en maintenir la tradition. Ayant eu dès ses débuts le goût de l'ample beauté proprement espagnole du style, l'amour des contours, des détours et des volutes par quoi une phrase épanouit sa pompe naturelle en périodes, il est parvenu a se placer dans la haute lignée des maîtres de la langue, non par des efforts d'archaïsant, mais en faisant passer dans une prose vivante, nourrie d'une pensée toute moderne, le souffle et la puissance oratoire des grandes époques.[21]

---

[20] *Peregrina*, págs. 57–59.
[21] «Revue de l'Amérique Latine», París, 1925, págs. 238–248.

A pesar de haberse nutrido de lecturas francesas e italianas este escritor venezolano es de los más castizos que ha habido en América. El que haya hecho esta observación un crítico francés tiene doble valor. Llamarle afrancesado sería negar toda posibilidad de refinamiento de origen puramente español. Desde sus *Cuentos de color* en que nos deslumbra con su aristocracia verbal, finura de imágenes, ritmo poético, gracia de contornos, meridiana claridad y fuerte colorido, hasta sus últimos cuentos, *Las ovejas y las rosas del Padre Serafín* y *Egloga de verano,* su prosa se ha ido ennobleciendo. Llega a su plenitud en *Camino de perfección,* y en *Peregrina* se convierte de prosa modernista en prosa clásica.

BIBLIOGRAFIA

Sensaciones de viaje, Paris, 1896.
Confidencias de Psiquis, Caracas, 1897.
De mis romerías, Caracas, 1898.
Cuentos de color, Caracas, 1898 (en *El Cojo ilustrado*).
Idolos rotos, Paris, 1901.
Sangre patricia, Caracas, 1902.
Camino de perfección, Paris, sin año (1908?).
Sermones líricos, Caracas, 1918.
Peregrina o el pozo encantado, Madrid, 1922.

Joaquín Edwards Bello

Joaquín Edwards Bello

(1888–)

UNA TARDE del mes de septiembre de 1932 me presentaron en Santiago de Chile a un hombre de edad madura pero de apariencias mozas, fácil de movimientos y despejado de palabra, con cierta guapeza de majo y una pronunciación con dejos andaluces. Tipo elegante y buen mozo, con una viveza de expresión tal que inmediatamente le tomé por extranjero, desentonaba en ese ambiente de hombres graves, medidos, pausados, varoniles, que son los santiaguinos. Sus ojos, que creo recordar verdes, velados por unas pestañas femeninamente cuidadas, recogían el fuego de las ideas con una intensidad tan grande que a veces despedían brillos de alucinación. Avanzábamos poco por la calle Ahumada, porque a cada veinte pasos nuestro amigo se detenía, accionaba y detenía la corriente humana, provocando miradas de interés de las muchachas y sonrisas de parte de los hombres. Hablaba con palabra rápida y bien escogida, matizando la conversación con frases de hábil humorismo, con paradojas selectas, cosa muy rara entre chilenos. Se adivinaba en él un profundo afecto por su tierra natal, aunque sólo salían de sus labios diatribas y quejas, porque nosotros los de sangre española expresamos nuestro amor por medio de la censura como

lo deja palpablemente demostrado el conocidísimo verso
español:

y si habla mal de España, es español.[1]

Media hora después nos encontramos unos diez escritores reunidos en una especie de cenáculo. A todo esto yo
no sabía quién era mi interlocutor ni él quién era yo.
Como siguieran las presentaciones, alguien dijo mi nombre en voz alta y el fino conversador exclamó con sorpresa:

—¡Hombre, yo creí que Ud. era algún hispanoamericano del norte; colombiano acaso, y ahora resulta que es
Torres Rioseco!

—Yo me he formado la misma opinión de Ud. —dije
yo— aunque a decir verdad Ud. me parece más español
que hispanoamericano. Pero no sería raro que también
nos resultara chileno.

—Soy Joaquín Edwards Bello.

Hacía ya muchos años que conocía literariamente a
Edwards Bello. Niño aún, leí sus dos primeros libros, que
se me antojaron parecidos a los de Blasco Ibáñez, a quien
yo admiraba por esos días. Después, él en Madrid y yo en
Nueva York, cruzamos varias cartas y, por su actitud de
varonil independencia, yo le tenía cierta admiración.

Edwards Bello pertenece a la aristocracia chilena, des-
cendiente por un lado de los Edwards, banqueros, sena-
dores, ministros, agiotistas, millonarios, y por el otro, de
los Bello, clara estirpe cuyo iniciador fué en Chile el gran
don Andrés. Joaquín estudió algunos años en Francia y
ha viajado extensamente. Habla inglés con rara facilidad

---

[1] Joaquín María Bartrina.

y posee una cultura amplia y superficial, cultura periodística y visión cinematográfica del mundo. Con todo, es
un *causeur* admirable que va derrochando ingenio e ironía por todas partes. Lo más notable en este aristócrata
de pura cepa es su amor por el pueblo, si no genuino por
lo menos enfático en su forma, que le hace preferir las
cantinas baratas y las mujeres gordas, fregonas y con su
poco de sangre araucana.

Hace ya cerca de veinte años que Edwards Bello ha
vuelto a vivir en Chile dedicado al periodismo. La buro-
cracia chilena y el diario «La Nación» le han proporcio-
nado los medios de existencia que reclaman su origen y
su educación, pero desgraciadamente la labor periodística, agotadora e ingrata en su país, le mantiene dentro
de los límites de una fórmula literaria anticuada, sometido a cánones viejos, a él, cuya imaginación y cosmo-
politismo deberían convertirle en el abanderado de las
nuevas tendencias literarias, el intérprete más fiel de la
sensibilidad del momento.

Con más temperamento de novelista que Pedro Prado,
Mariano Latorre, Eduardo Barrios, D'Halmar, Santiván
y Maluenda, no ha logrado llegar a ser el primer novelista
de Chile a causa de su realismo *démodé* y a la ejecución
precipitada de sus obras. Sin embargo, le consideramos
novelista representativo, no sólo de Chile, sino de América, y en tal categoría le hacemos aparecer en este libro.

En cierta ocasión Blasco Ibáñez opinó que Joaquín
Edwards Bello llegaría a ser el primer novelista de América, opinión que parecería razonable, entendiendo por
«primer novelista» lo que fué Blasco Ibánez en España,

el novelista de todo el mundo, un «best seller». Pero aun en este sentido Joaquín Edwards Bello estaría en una situación inferior a Vargas Vila y Hugo Wast. Un crítico chileno ha notado que las obras de Edwards Bello, aun las primeras, con todos sus defectos, han hecho siempre mucho ruido; han sido discutidas, atacadas y hasta defendidas. En lo cual ya hay un mérito; el mérito de la vitalidad, del cual carecen hoy muchas de las obras de vanguardia, por artísticas que sean.

En algún lugar, situado entre la manera novelística groseramente cargada de episodios de los románticos y realistas más en evidencia del siglo XIX y la forma morosa y circular de los psicólogos de hoy, debe hallarse una fórmula adecuada para interpretar, a través de este género literario, nuestros estados de alma, nuestros conflictos individuales y sociológicos.

Eso es lo que han tratado de encontrar escritores como Güiraldes, Azuela, Pedro Prado. La novela psicológica pura, sin movimiento externo, y la novela metapsíquica, que se orienta por las zonas de los sueños, han tenido cultivadores en nuestras tierras (C. A. Leumann; Torres Bodet, etc.),[2] pero son formas de expresión poco apropiadas para pueblos de vida objetiva intensa y de cultura literaria limitada.

Joaquín Edwards ha seguido fiel a la factura antigua. En sus dos primeras novelas, *El inútil*, 1910, y *El monstruo*, 1912, se hallan todos los defectos inherentes al realismo y al naturalismo. Ambas son obras de propaganda. Las ideas sociales del autor, siempre enfática-

[2] Ver la novela de Leumann *Trasmundo y Margarita de Niebla* de Jaime Torres Bodet.

mente expuestas, destruyen el horizonte artístico que
debería estar herméticamente cerrado a las incursiones
de elementos extraños.

A los veintidós años es un absurdo escribir una novela.
En esta género literario el virtuosismo es inadmisible.
Como la novela ha invadido los dominios de casi todos
los conocimientos humanos, su cultivo requiere una preparación humanística especial. Cualquiera puede enredar
los hilos de una intriga; cualquiera puede presentar personajes y arrojarlos en los conflictos de la vida, pero como
la intriga ha perdido mucho de su valor, otros factores
necesariamente han ido destacándose. Estos paréntesis,
que deben ser parte integrante de la novela, no deben ir
en ella superpuestos al desarrollo de la intriga, sino en
íntima harmonía con ella. Dominada ya la técnica, el
interés de estos apartes depende del mayor o menor grado
de cultura del novelista.

En los dos libros mencionados, Edwards Bello no logra
un dominio perfecto de la técnica. Aunque los protagonistas de ambas novelas ofrecen cierto interés psicológico
elemental por su juventud, sus digresiones abundantes sobre educación, vicios sociales, moral, religión, socialismo,
etc., inmotivadas muchas veces, superficiales siempre, di-
ficultan el logro de la hermeticidad del horizonte ficticio.

En estas dos novelas está ya toda la técnica futura de
este autor. Ambas tienen mucho de autobiográfico. El
novelista no puede dejar de tomar parte en la vida de sus
personajes, y aunque no sea él el protagonista, pone en la
expresión de éste toda su pasión. Y Joaquín Edwards
Bello es un apasionado, que al inmiscuirse en la existencia

de sus caracteres pierde la indispensable objetividad del buen observador. Es el mismo defecto que observó Andrenio en la *Casandra* de Galdós:

... esto hace que se aparte Galdós con frecuencia de la hermosa y robusta naturalidad que es gala de sus mejores obras, de la mezcla de sencillez e ironía bonachona que distingue a muchas de ellas, y se entregue a un estado de exaltación, con ciertos visos de mística, que hace hablar a los personajes en tono altisonante y da a muchos trozos de la novela aire de sermón laico.[3]

Joaquín Edwards Bello no sólo se aparta de la realidad sino que, en sus momentos de exaltación, interrumpe el relato y se pone a perorar como un verdadero poseído.

Ataca con argumentos infantiles, con frases hechas, con un verdadero léxico de lugares comunes, a clases sociales enteras, países, instituciones culturales, hombres e ideas, olvidado por completo, en su enajenación polémica, de que está escribiendo una novela.

Como triunfa en estas obras el detalle autobiográfico, los puntos geográficos donde ha vivido el autor (Quillota, Valparaíso, Santiago, París) adquieren gran relieve. Casas de campo, escuelas, bares, calles, barrios, se diría que se humanizan. Abunda en ellas el romanticismo cursi de las memorias infantiles teñido con estilo de lecturas sentimentales: amores en Arcadias de ensueño, arroyos cristalinos, inocencias imposibles, casitas blancas, palomas, pañuelitos que se agitan en las despedidas.

Los protagonistas de ambas novelas siguen los pasos del autor. Al principio viven la vida sencilla del estudiante provinciano chileno; luego viene el viaje a París;

[3] Andrenio, *Novelas y novelistas,* Madrid, 1918, pág. 97.

la contaminación de los jóvenes; prostitutas, casas de juego, deudas, queridas. Vida galante y literatura pornográfica. Por fin, vuelta a la patria y el consiguiente contraste, la apetecida paz, en el amor o en la muerte.

Estos protagonistas son siempre impulsivos, inconscientemente apasionados, fuertemente sentimentales, y a pesar de todo de una abulia desconcertante. Cuando parece que van a enfrentarse a la injusticia o a la maldad, una mueca escéptica les detiene el intento y claudican vergonzosamente. Acaso sea este un signo racial típicamente hispanoamericano. Carecemos de serenidad y por cualquier motivo nos exaltamos hasta la locura y tomanos determinaciones vertiginosas. Sin embargo, si se requiere un espacio de tiempo entre la decisión y su cumplimiento, el impulso va perdiendo intensidad, y terminamos por no ejecutarlo. Por falta de voluntad somos capaces de aceptar hasta una vida indigna. La razón no tiene influencia sobre nuestros actos pasionales, y no es extraño el caso de hombres inteligentísimos que procedan como locos en determinados momentos de exaltación emocional. Este es el caso de Joaquín Edwards Bello y de los personajes de sus libros. Se impone el estudio de la psicosis en las novelas de Edwards Bello, porque es abundante en ellas el número de exaltados, abúlicos, alucinados, anormales, locos.

La observación de la realidad está desvirtuada por conceptos a priori. Un cura será por lo común hipócrita y ambicioso; un político, ignorante y palabrero; un literato, veleidoso y tonto; un aristócrata, presumido e inmoral; una mujer del pueblo, honrada y buena; un «roto», gracioso y trabajador; un joven de buena familia, vicioso e

inútil. De aquí que en vez de hombres y mujeres conce-
bibles dentro de una realidad ideal, nos dé tipos abstractos
deformados hasta lo caricaturesco.

Otra característica que se revela en sus dos primeros
libros y que le acompaña hasta el último, es una predisposición especial para ver el lado ridículo de las cosas y
las gentes. Algunas veces la estupidez de la sociedad le
subleva y su sátira es mordaz y sangrienta. Se diría un
Larra americano azotando el cuerpo desnudo de sus com-
patriotas. Otras, su desdén se expresa en un humorismo
criollo que está muy lejos del *sense of humor* inglés. Hablando de un Ministro de Estado dirá:

Había escrito también un folleto sobre el peligro amarillo,
considerado de gran actualidad en la época de su publicación,
pues acababan de llegar a Taltal treinta y dos cocineros chinos
y un marchante de abanicos y mondadientes de Yokohama.[4]

Y cuando en el comedor, después de un silencio de ansiosa
expectativa, todos se preparan para oír la estupenda palabra del Consejero, éste exclama, solemne y ceñudo:

—¡Qué calor ha hecho hoy![5]

Joaquín Edwards, como buen chileno, siente profundamente la división de clases sociales de su patria. Aristócrata en el triste significado de aristocracia chilena, más
de una vez ha sentido el rubor de pertenecer a esta casta
y ha adoptado en general una actitud democrática, ple-
beya casi. Destinado a ser el novelista del «roto», de ese
hijo del pueblo chileno, cuyas virtudes él exalta, ha provocado las iras de los campesinos vascos y de los agiotistas

---

[4] *El monstruo*, pág. 152.   [5] *Ibid.*, pág. 164.

israelitas. A sus primeros libros se les hizo el vacío, con esa maravillosa clarividencia crítica de las masas que leen, o mejor, que comentan. Se vió en la narración el detalle autobiográfico y se dijo que Edwards Bello era el Inútil y el Monstruo.

Pero no hay que engañarse por esta actitud literaria del autor del *Roto*; en el fondo se paga de nombres, títulos y genealogías y está orgulloso de no pertenecer a esa clase media que ridiculiza en sus novelas. Al «roto» lo quiere con un amor de encomendero, suavizado por el adelanto de la cultura; amor que hoy puede hacer que estreche la mano al hijo del pueblo y mañana le descargue el látigo sobre los hombros; amor que no le impide considerar a sus mujeres, hermanas e hijas, como propiedad natural.

Un día de octubre de 1932 paseaba yo con Joaquín Edwards Bello por la calle Bandera en Santiago, durante una demostración popular en contra del gobierno. Ante la masa, imponente de odio, el novelista exclamó: «Se levantarán contra todos, y destruirán a Joaquín Edwards Bello, cantor del *roto*». Yo comprendí el abismo que existía entre este señorito de elegante traje inglés que no podía acercarse al pueblo y esos hombres sucios, haraposos, hambrientos, ninguno de los cuales probablemente había leído su novela, dedicada a ellos.

Joaquín Edwards Bello es un escritor costumbrista. Ya en estos primeros libros aparecen cuadros de ciudades, barrios, calles, templos, casas de pensión, bailes populares, bodas, salas de juego, trasatlánticos, burdeles.

Sus descripciones son realistas aunque exageradas en los tonos negro y rosa. No ensaya la interpretación simbólica de las cosas sino que, a causa de sus concepciones a priori y de sus prejuicios, altera los aspectos más salientes de la realidad.

Las lecturas del novel escritor han sido variadas hasta 1912. Ha preferido acaso las fantásticas o espeluznantes narraciones de Ponson du Terrail, Conan Doyle, Montepin, Dumas y las imposibles elucubraciones de Vargas Vila; en Zola conoció el método de la novela experimental; en este mismo escritor francés y en Blasco Ibáñez y Baroja, se familiarizó con algunos aspectos del naturalismo. Demuestra también haber leído con provecho a Bourget, Maupassant, Eça de Queiroz, Andersen, Rostand, Oscar Wilde y Felipe Trigo.

Su estilo es desordenado, incorrecto, truculento. Los pensamientos más mediocres están expresados en frases hechas y vulgares. Sus salidas de tono son constantes y el autor parece enorgullecerse de ello. En la brusquedad de la frase, en las impertinencias, en la facilidad con que se sale del tema, en lo arbitrario de las afirmaciones, se parece a Baroja, pero carece del ingenio, de la gracia y de la originalidad del gran escritor vasco.

Podría detenerme en el análisis concreto de su estilo, pero lo creo inútil. Por lo demás es ésta labor ingrata, en este caso. En 1912 con *El monstruo* termina la primera etapa de este novelista.

Después de escribir algunos libros de menos aliento, como *Cuentos de todos colores*, 1912, y la *Tragedia del Titanic*, 1912, Joaquín Edwards Bello comenzó a pensar seriamente en el criollismo literario, en el mundo-novismo que creó en la crítica Francisco Contreras. Para Edwards

Bello el artista americano debe expresarse «con el naturalismo sano de una raza joven, creciendo ante las más risueñas espectativas». «¡Inútil buscar el arte de Europa! La falta de harmonía entre la creación europea y el ambiente americano es completa»; «el «Penseur» de Rodin en Buenos Aires, no piensa; es una estafa».

Con estos pensamientos nuestro escritor publicó en París su obra *La cuna de Esmeraldo,* 1918, preludio de esa novela chilena que con el nombre de *El roto* iba a imponerse más tarde a todos los públicos de América. En *La cuna de Esmeraldo* están ya todos los caracteres de *El roto,* pero sin esa trabazón interna que hace la novela, vistos como tipos aislados, analizados independientemente. *La cuna de Esmeraldo* fué empezada en 1912, en el año culminante de su energía creadora, y dos años antes de empezar *El roto.* Relata en *La cuna de Esmeraldo* parte de la vida y aventuras de un muchachito nacido en un burdel. El libro se puede dividir en tres partes: la cuna de Esmeraldo, es decir, el prostíbulo «La Gloria»; el momento sociológico, en que expone los vicios y las buenas cualidades de los chilenos; y las condiciones en que se modela su genio.

Describe en forma descarnada y realista, con lujo de detalles, el burdel, su fealdad y su miseria, las diferentes personas que ahí viven: Esmeraldo, su hermana Violeta, su madre, Clorinda, tocadora de profesión, la dueña de casa, las prostitutas; Ofelia, «señorita de familia, venida a menos», Laura, «flaca como una galga», Etelvina, «silenciosa, pesada», Julia, «la bonita de la casa», Rosalinda, Gatita, la Choca, «seres nebulosos, sin personalidad, pen-

dencieras, borrachas, ladronas», María, la sirvienta, que
en su inocencia suprema, aspiraba a ser monja. Algunos
hombres atraviesan por este antro de vicio: Fernando, «el
garitero», Madroño, el político inescrupuloso y prevari-
cador; «el Pata de Jaiva», personaje de novela picaresca.

Edwards Bello no hace más que preparar el escenario
y presentar los caracteres de ese drama que no se desarrolla sino en su próxima obra, *El roto*. Acaso lo más
interesante de *La cuna de Esmeraldo* sean las observaciones de tendencia crítico-literaria que preceden a la narración. El autor aboga por un arte autóctono. «Debemos
pensar y escribir en americano», dice. Las bellezas naturales del continente solicitan la atención del escritor por
todas partes. Su fe en el porvenir de la América Latina es
digna de aplauso. Como la idea es más importante que la
forma, «el libro útil americano debe ser un descentrado.
Mejor le vienen las alpargatas que el coturno; más le vale
la blusa azul que la clámide».

Discípulo atento de Blasco Ibáñez, quiere que el escritor
«sea enemigo de las frases cinceladas, los alardes de sabiduría y las complicadas arquitecturas de la retórica, que
convierten la literatura en una aristocracia *d'accès diffi-
cile*, un privilegio social». Se opone además al afrance-
samiento literario. Lo curioso es que él mismo incurre en
todos estos defectos que critica. A pesar de su deseado
criollismo ha sido fuertemente influído por algunos escritores franceses; cita frecuentemente en francés; varias
novelas suyas están situadas en París; a menudo hace
alarde de sabiduría y expresa a propósito de nada cen-
tenares de ideas, ya vulgares, ya originales; pocos escri-

tores chilenos tan retóricos como él. Arrebatado por su
pasión, hace frases vibrantes que estallan como cohetes
y fuegos de artificio.

Edwards Bello lleva candente sobre su alma el sentimiento de clase. Ridiculiza a la aristocracia en que le tocó
nacer y, por contraste, alaba y ensalza al pueblo como
cualquier demagogo. Se reserva empero para la clase media su sátira más hiriente y su odio más vivo. «Los liceos, la
instrucción laica, la vida libre en los centros industriales,
el contacto con los grandes países de la libertad, echaron
los cimientos de una clase nueva que miró con profundo
desprecio a los viejos ídolos. Fué el momento de los arri-
bistas, de los inescrupulosos. Mercachifles de la más ruin
estofa aprovecharon ese momento. Así se creó la clase media, fruto de un amasijo deplorable de mentiras, ambi-
ciones, lágrimas, sudores y esperanzas. Falsa, venal y
corrompida, se aferra de todo lo que seduce para triunfar.
La política en sus manos ha degenerado en pretexto para
asaltar las arcas fiscales. Esa clase tiene en sí los defectos
de los dos extremos, todos los vicios de arriba y de abajo,
y ninguna de las buenas cualidades».[6]

Edwards Bello cree que la energía es la tabla de salvación de estos pueblos. Ataca nuestros defectos con esa
furia violenta de los temperamentos románticos.[7] Todos
los grandes vicios hacen su habitación entre nosotros. La
especulación bursátil nos domina; nuestros gobiernos están corrompidos; nuestros diplomáticos son de vergon-
zosa ineptitud. Ataca la vida de la ciudad, vapulea a los

---

[6] *La cuna de Esmeraldo*, págs. 17-18.

[7] Véase a este respecto el libro *Nuestra América* del argentino C. O.
Bunge.

jóvenes de mundo, ridículos y petimetres; a las señoritas de sociedad, incultas y ociosas. Describe el clásico paseo santiaguino por la calle Ahumada, a donde van nuestras elegantes en busca de novio y el paseo del Club Hípico, donde la aristocracia hace alarde de lujo, formulismo, vanidad.

Edwards Bello es injusto en el ataque. Sus rotundas generalizaciones restan valor a sus palabras. Acaso todos los vicios por él apuntados existan en nuestra sociedad, pero seguramente no en todos sus individuos. Más efectivos son sus métodos de comparación; así, cuando afirma que la gracia del hombre y de la mujer de España está muy por encima de todo lo nuestro y que cualquier pobre europeo es superior en un salón a un chileno culto, nos está diciendo una gran verdad, sólo que se calla ciertas cualidades del chileno o de la chilena, que no poseen los españoles.

Para terminar su diatriba se expresa más o menos en la siguiente forma: En esa sociedad hipócrita, dominada por una docena de frailes, sólo el hombre librepensador, franco y llano, tiene fiscalizadores que escudriñan y analizan su vida. Hipocresía y pelambre. Envidia, murmuración. La superstición es común. Entre nosotros somos belicosos y calumniadores. Lo que nos da esperanza es nuestra tradición de energía y el patriotismo y deseo de progreso de nuestra aristocracia.

Claro está que muchas de las ideas desarrolladas en esta novela-prólogo de *El roto* no tienen solidez o son simplemente absurdas, pero a Edwards Bello hay que considerarle como a un niño caprichoso o como a un discípulo aventajado de Nietzsche, quien se compadecía del hombre que no se contradice por lo menos dos veces diariamente. Apasionado, violento, sin ese sentido de responsabilidad literaria que debe poseer todo escritor, Joaquín Edwards ofrece su vitalidad fuerte como única excusa a todos los pecados que comete en contra de la estética, de la verdad y del sentido común.

Siete o más ediciones atestiguan la popularidad de *El roto*, publicado por primera vez en 1920. *El roto* es el desarrollo, en forma de novela, de esa serie de cuadros de costumbres que acabamos de estudiar y que el autor titula *La cuna de Esmeraldo*.

En general el «roto» es en Chile el hombre del pueblo. El significado del vocablo es relativo. Para el plebeyo, «roto» es el individuo grosero, ocioso, borracho, harapiento; para la clase media, «roto» es el gañán de los campos o el peón de las ciudades, que por el hecho de carecer de esa cultura artificial que dan los liceos y las escuelas particulares, queda reducido a la categoría de res; y para la aristocracia, «roto» es todo lo que no pertence a esta clase. Don Alberto Cabero define así a este tipo popular:

Su carácter es una mezcla confusa de virtudes y defectos: patriota y egoísta; hospitalario y duro, hostil; fraternal y pendenciero, agresivo; religioso y fatalista, supersticioso que cree en ánimas; prudente y aventurero, despilfarrador; sufrido, porfiado e inconstante; inteligente, con un admirable poder asimilador, e ignorante; abierto en ciertos momentos, desconfiado casi siempre; resignado con su suerte, violento con los hombres; triste, pesimista, callado, tranquilo y con ribetes de picardía y buen humor; socarrón, rapiñador, marrullero y ebrio.[8]

---

[8] Alberto Cabero, *Chile y los chilenos*, Santiago, 1926, pág. 119.

Con estas características disímiles, contradictorias y hasta pintorescas, se creería fácil la creación de un protagonista que fuera una especie de síntesis étnica y que ofreciera el interés psicológico indispensable a un héroe de romance. No es así, sin embargo. El roto es de una gran pobreza psicológica. No tiene vida interna. Las dos únicas necesidades de su existencia son el licor y la comida. Satisfaciendo ambas se siente feliz. Como protagonista de novela hay que llevarlo a un forzoso final melodramático: muerte por celos, por rebeldía al patrón, por lo que allá se llama hombría, que puede ser cualquier cosa. De aquí que todos los escritores chilenos hayan poetizado o deformado en cierto modo este tipo, y los que han estudiado al roto de ciudad hayan suplido la falta de vida interna del protagonista con un exceso de aventuras, cuadros de costumbres y caracteres secundarios. Esto es lo que ha hecho Edwards Bello en su novela *El roto,* que bien pudiera haber titulado «La novela del burdel chileno». Verdad es que en ella estudia la vida miserable de Esmeraldo desde su infancia hasta que asesina a su benefactor, pero el verdadero protagonista de la obra es «La Gloria», el burdel donde se incuban el vicio, el crimen, la tragedia. Esta importancia dada a las cosas, da una fuerte apariencia realista a *El roto,* y clasificaríamos la novela dentro de este género si no fuera por su tendencia a estudiar sus personajes individualizados y por su afán romántico de presentar a su protagonista en pugna con la sociedad. Ya hemos visto en sus novelas anteriores todo un mundo de inadaptados, rebeldes, abúlicos; gente que vive al margen de la colectividad o contra ella.

Esmeraldo no llega a ser personaje novelable, y por esta razón el autor destruye hasta cierto punto la unidad de acción introduciendo personas tanto o más importantes que él, como Fernando, Madroño, Violeta, etc.

Dos de los personajes más logrados de *El roto* y que ofrecen, en relieve más atrevido, ciertas características de verdadero chilenismo son Fernando, el garitero, y Clorinda, madre de Esmeraldo. Algunos críticos han negado el realismo de estos tipos; sin embargo, dentro de la realidad literaria que hay que buscar en la novela, Esmeraldo, Violeta, Clorinda, Fernando, «Pata de Jaiva», Ofelia, Julia, Laura, Madroño, mantienen un exacto ritmo de relación con el medio en que fueron concebidos. En esto consistiría entonces el mérito estético de la novela y en cierta inquietud de estilo que traiciona siempre el subjetivismo de este autor.

Mucho mejor que en sus libros anteriores se ha logrado aquí la fusión de elementos de fantasía y observación. Toda la gente que habita o pasa por «la Gloria» es gente viva, gente que lucha, sufre y hasta sueña, como esa patética figura de la criada que en medio de la prostitución anhelaba ser monja. Ha ganado mucho Edwards Bello en pericia psicológica, y ha progresado también en la dicción de sus personajes. Pudiera ser que un filólogo minucioso hallara discrepancias entre la expresión literaria y la real, pero para los fines artísticos el autor ha cumplido su cometido satisfactoriamente. Todavía abusa Edwards Bello del método digresivo, pero en menos grado que en el *Monstruo* y el *Inútil*, y parece que hay una más estrecha relación entre el relato y el paréntesis, casi siempre sociológico.

Observa Silva Castro: «El reproche más serio que puede hacerse a *El roto* es que sea una novela poco novelesca. Es evidente que el autor, divagador amenísimo, experimenta cierta dificultad para construir la seria y sólida trama de una novela».[9] Verdad evidente si se tratara de una novela exclusivamente psicológica o de intriga, pero *El roto* es además una novela de género costumbrista. Dentro de sus limitaciones, *El roto* se lee con ese interés que tienen los artículos de Larra, autor con el cual tiene más similitud, según mi criterio, que con Zola o Mirabeau. Y en estos días de anarquía técnica en que los lectores buscan con igual curiosidad el *Ulyses* de Joyce, *The Plumed Serpent* de Lawrence o *Les Hommes de bonne volonté* de Jules Romains, no hay razón para pedir que una novela posea más sistema óseo que *El roto*.

Lo que pierde *El roto* desde el punto de vista estético lo gana desde el punto de vista social. No olvido que una novela debe ser novela y no tratado sociológico, y no creo que Edwards Bello haya llegado al extremo de hacernos olvidar la ficción. Con todo hay demasiada propaganda en la obra, propaganda que el autor cree necesaria, indispensable, en una sociedad corrompida y corruptora como la chilena, que permite, alienta o causa los acontecimientos vergonzosos y trágicos de la vida del burdel. Pero hoy mismo, los prostíbulos siguen siendo pocilgas inmundas, focos de infección, iguales o peores que «La Gloria», lo que prueba que se trata de un mal de orden económico-moral, que sólo se podría remediar con el exterminio de la ignorancia y la pobreza.

---

[9] Silva Castro, R., *Retratos literarios*, Santiago, 1932, pág. 143.

Joaquín Edwards ha dicho que *El roto* es su obra maestra, pensando en la gran popularidad que tuvo y sigue teniendo su novela y en el valor sociológico que le ha atribuído la crítica. Para mí, *El roto*, con todo y ser una certera interpretación del hampa y de la prostitución santiaguina y una serie de vigorosos cuadros de costumbres, no es la mejor novela de este autor, y creo que no sobrevivirá a nuestra época. El motivo es en sí ingrato; los personajes, de limitada perspectiva psicológica; y el ambiente, falto de belleza. Pasa con *El roto* lo que con muchas novelas de Zola y de Blasco Ibáñez, de gran intensidad dramática y con fuerte sentimiento de clase, pero estéticamente mediocres. Por otra parte, el marco de esta aguafuerte es de muy escaso valor, ya que con respecto a Chile estos problemas pueden tener importancia, pero siempre quedarán dentro de los pequeños límites locales. ¿A quién le interesa lo que pasa, digamos en Quillota o Curicó, pueblos sin historia, sin cultura, sin el encanto de los pueblos antiguos? Tendrían que pasar allí cosas extraordinarias para que se lograse fijar nuestro interés, y el narrador tendría que poseer una estupenda facultad creadora. La vida mediocremente tranquila de estos pueblos no interesa al lector de fuera, aunque sea descrita por la pluma encantadora de Azorín. El barrio que describe Edwards Bello en *El roto* es uno de estos lugares pobres, sucios, de vida mezquina, asquerosa. Para dar movimiento a la novela, hay que recurrir a la violencia, a las puñaladas, a la muerte brutal.

En *La muerte de Vanderbilt,* 1922, reelabora Edwards Bello una narración presentada en 1912, en forma de cuentos, con el nombre de *La tragedia del Titanic*. El mismo la explica: «*La tragedia del Titanic* es la narración de ese hecho terrible, tal cual ocurrió cuando yo tenía veinte años. *La muerte de Vanderbilt* es el mismo hecho tal cual ocurrió ahora que tengo treinta».[10]

Esta novela, de breve argumento, es una de las más hermosas del autor.

Parte el Titanic, el mayor de todos los barcos del mundo, ciudad flotante. A bordo hay grandes personalidades, Alfred Vanderbilt, Ismy, gerente de la compañía, John Astor, la célebre Schiardi del Metropolitan, la española Rocío, protegida de Vanderbilt. El compañero de camarote del autor es un francés. El novelista hace una detallada descripción de la vida en primera; luego baja a la tercera clase y se mezcla con los emigrantes. Encuentra allí interesantes tipos de hombres y mujeres. Gallegos, andaluces, napolitanos, genoveses, griegos. Hombres ilusionados que buscan enriquecerse en América, tahures, aventureros, comerciantes. Para dar colorido al relato el autor se enamora perdidamente de Rocío, y nos relata además la vida de diversas personas. El último día de navegación se prepara a bordo un baile de máscaras; todo el mundo se disfraza. A las ocho y media reina en el comedor gran alegría. Cada traje nuevo levanta salvas de aplausos. La orquesta toca Herodiade. A las once de la noche el baile está en su apogeo. De pronto «Rocío deja de bailar; sus dos manos blancas caen a lo largo de su cuerpo como lirios marchitos. Luego se pierde en dirección a su camarote». El autor pierde el interés en la fiesta

---

[10] *La muerte de Vanderbilt*, Notas iniciales, pág. 12.

y baja al suyo. De pronto siente un ruido violento y sordo. El barco se estremece violentamente, y se extinguen las luces. El vapor está detenido. Se hunde rápidamente. Hay episodios de heroísmo. Después de una lucha de horas Rocío y su admirador son salvados. Ya a bordo del Carpathia y camino de Nueva York, encuentran el camino de la felicidad.

La muerte de Vanderbilt es, más que una novela, un cuento largo, de rápido movimiento, escrito con un estilo nervioso y palpitante. El autor ha sentido profundamente la tragedia sin dejar de ver los episodios risibles, los detalles grotescos. De acuerdo con la realidad o no, la visión del naufragio logra apoderarse del espíritu del lector. Libre de los paréntesis delatorios que abundan en sus otros libros, *La muerte de Vanderbilt* tiene el interés novelesco que algunos críticos negaron al *Roto*. Y como, atendiendo sólo a lo novelesco de la trama, *La muerte de Vanderbilt*, novela corta, y *El bandido,* cuento de admirable hechura, son dos de las cosas mejores que ha escrito Edwards, se nos antoja que en este género literario encuentra el autor la verdadera expresión de su fantasía.

En 1925, aprovechando su estada en España, publicó Joaquín Edwards un libro de crónicas chilenas intitulado *El nacionalismo continental.* Su tesis es que debemos producir un arte americano sin imitar ciega y servilmente lo europeo. En este caso es más fácil el consejo que la obra. El mismo autor lo demuestra en la técnica de sus libros. De interés son las siguientes ideas que guardan relación con la novela:

Piezas de arte en la novela americana, como *María* de Isaacs, o

Canaán de Graça Aranha, con potentes cuadros nacionales, en las cuales se siente la vida americana a borbotones, se van haciendo, desgraciadamente, raras. Además de los cuadros nacionales, en esos libros se sienten batir las alas del talento. Porque no se trata sólo de llamar al papá, *taitita*, y a la mamá, *mamita*, para crear novela americana.[11]

Estamos de acuerdo con el autor, en principio. La novela americana no debe inspirarse en motivos europeos, a menos que éstos hayan llegado a ser parte de nuestra vida. Pero aquí está el problema. ¿Cuándo deja de ser europeo el tema para convertirse en americano? Imposible me parece señalar límites en esta ardua cuestión. Por otra parte, como ya lo he apuntado en otro sitio,[12] nuestras ciudades capitales (Buenos Aires, Santiago de Chile) viven una vida eminentemente europea. Lo que sí me parece altamente ridículo es que nuestros escritores sitúen sus novelas en París y hablen en sus poemas de Versalles, Trianones, Venecias de ensueño, y otras cosas que sus ojos nunca han visto. Me imagino que cualquier novela de Balzac, Zola, Anatole France y aún de Proust, podría desarrollarse en Buenos Aires sin deformar la psicología ambiente. También he asegurado en alguna parte que el motivo americano existe, como lo han demostrado artísticamente Azuela en *Los de abajo,* Gallegos en *Doña Bárbara,* Rivera en *La vorágine,* Arguedas en *Raza de Bronce,* Güiraldes en *Don Segundo Sombra,* Zavala Muniz en *Crónica de un crimen;* pero erraría quien interpretase esa afirmación como el imperativo categórico de que toda novela americana debe ceñirse a un motivo autóctono. Anda

---

[11] *El nacionalismo continental*, Madrid, 1925, pág. 19.
[12] Véase mi libro *Casticismo y americanismo en la obra de Rubén Darío*, Harvard, 1932.

acertado Edwards al decir que *María* y *Canaán* son cuadros nacionales; hay en ambas ambiente americano, mas *Canaán* se desarrolla en una colectividad de inmigrantes extranjeros; y *María*, sin el valle del Cauca, podría pasar por obra de Chateaubriand y hasta de Rousseau. El ambiente es de fácil acceso, pero para penetrar la sensibilidad y la psicología nativas se necesita una sagacidad extraordinaria.

Hasta hace muy poco tiempo el escritor criollo creía que el uso de unos cuantos americanismos era bastante para dar el color local. Abundan por ahí los *tatitas,* los *ansinas,* los *jijos de un,* los *meros,* los *pos,* las *macanas,* los *puchas Diego,* que nos hacen el efecto de ponchos en hombros de un vendedor de radios, o de falditas de china poblana en un escenario de Nueva York. A nuestros escritores regionales les pasa lo que a Valera en su *Pepita Jiménez,* en que una humilde viudita de pueblo discurre con la profundidad de un Sócrates. Y como para la mayor parte de ellos la ciencia filológica es un misterio, resulta que este lenguaje popular no obedece a ninguna ley, ni siquiera a una constante regularidad y es sólo un medio elemental de hacer americanismo.

No nos parece bien que el escritor hispanoamericano que no ha viajado trate de engañarnos hablándonos de cosas que no conoce, pero tampoco negamos el valor de ciertos libros como *El embrujo de Sevilla* de Reyles, *La gloria de Don Ramiro* de Larreta, *Zoraida* de Daniel Samper, *El hombre en la montaña* de Edgardo Garrido Merino o *El jardín del amor* de Alberto Candioti, cuyos autores conocen los lugares en que se han inspirado o que describen.[13] A esta clase de novelas pertenece en parte *El chileno en Madrid*. Joaquín Edwards conoce la vida madrileña, y lo que es más, la ama entrañablemente; por esta razón su novela está bien situada y bien documentada.

El chileno en Madrid es la novela de Pedro Wallace. En compañía de Julio Assensi, español, vuelve a Madrid después de muchos años de estada en Chile, en busca de su querida, Dolores, y de su hijo, Pedrín, a quienes había abandonado hacía muchos años. Se hospeda en casa de unos parientes de Julio. Su único ideal es encontrar al hijo y a la madre, y los busca desesperadamente. Pero pronto se enamora de la hija de la dueña de la pensión, Carmencita, muchacha típicamente madrileña. Y cuando ya está a punto de casarse con ella, encuentra repentinamente a los perdidos y vuelve a unir su vida a la de Dolores, y se consagra a la educación de Pedrín. Carmencita se va a vivir con unos parientes lejanos.

Una historia tan sencilla ha dado lugar a una novela rica en observaciones de costumbres madrileñas y a un interesante estudio de tipos. Pedro Wallace y su amigo Assensi están muy bien descritos, con esa facilidad que tiene el autor para comentar psicologías de diferentes países.

Carmencita, la hija, doña Paca, la madre, Mandujano, el amante de la madre, Curriquiqui, el pretendiente de Carmencita, Angustias, la criada que idolatra a Curriquiqui, han sido creados para revelarnos una España heroica,

---

[13] El hispanoamericano posee un genio dúctil y adaptable, y varios poetas nuestros, tales como la Gómez de Avellaneda, Ventura de la Vega, José María Heredia y Armand Godoy, figuran dignamente en las literaturas española y francesa.

aun dentro de sus debilidades y sus vicios. Gente del hampa madrileña atraviesa por estas páginas, pero es un hampa con historia, con tradición, con belleza, no aquélla sórdida y miserable de Santiago de Chile, que nos pinta en *El roto*. Hasta los mendigos adquieren cierta nobleza en su dignidad de hombres y mujeres libres, amantes de su ciudad, de sus calles, de su sol. En Doña Paca, adiposa y suspirante, enamorada de su hombre hasta la muerte, está la raza vieja, confiada, sacrificada; en Carmencita, virginidad agresiva y triunfante, amor casto y terrible, toda la mujer española, sublime en la última hora de su amor imposible, en su «no puede ser, que es el *nunca más* o el *too late* a las esperanzas en España». Mandujano, tahur, héroe de martingalas y combinaciones, don Juan de barrio, españolísimo en eso de «no poder ver llorar a las mujeres». Curriquiqui, mozo de muchos riñones, ladrón de carteras, fatuo y trágico, con alma de bandolero, de conquistador, de místico, es el hombre español de todos los siglos, con el alma en los ojos y la frase castiza a flor de labios. Angustias, con su nombre clavado como cruz en el corazón, mujer del pueblo, ciega en la totalidad de su pasión, heroína de melodrama, entregada toda entera a la voluntad de su hombre, es decir, de su destino. Fué necesario que viniera un chileno, y un chileno con sangre inglesa, a mostrar la grandeza moral de estas vidas humildes, calumniadas en cien novelas pornográficas, y que ni siquiera Baroja pudo ver en toda su realidad en *La busca*. Puede ser que en *El chileno en Madrid* no haya consistencia psicológica, pero el autor nos ha dado una visión de su España, de lo que son para él esos hombres y esas mujeres

El chileno en Madrid es un diario de viaje. Lisboa, Madrid, teatros, casas de pensión, hoteles de lujo, barrios de gente maleante, paseos aristocráticos, iglesias y, sobre todo, notas tomadas en esas excursiones fervorosas por el alma del pueblo madrileño. Sus divagaciones son de hombre que ha visto mucho mundo y ha meditado sobre infinitos problemas. A veces es arbitrario en sus conclusiones, pero hasta en esos casos interesan el convencimiento y la pasión de sus ideas.

Su estilo descriptivo, ramplón y vacilante en sus primeras novelas, se ha ido perfeccionando a través de los años, y es ahora de un sobrio realismo. He aquí la llegada a Lisboa:

El vapor se había acercado sin moverse y estaba rodeado de pequeñas embarcaciones; por encima tenía un nimbo de aves. Se veían claramente los domos y cúpulas de la capital, vieja como el mundo. Pero, a pesar de sus piedras seculares, parecía una cosa pueril, de juguete, como una vista de linterna mágica.[14]

Y cuando describe esos aspectos simpatiquísimos del alma española, que él adora, su pluma adquiere notables vibraciones:

La Angustias era madrileña pura, de fina sangre desde una antigüedad remota. Para ella la nobleza de su ciudad residía en la calle de Embajadores, en Chamberí, en la plaza de la Cebada. Pronunciaba estos nombres con un empaque especial. Tenía una expresión caliente y sensual, con esa melancolía mística de los sarracenos. Sería madrileña de un Madrid primitivo que se llamó Magerit y sus abuelos saludarían la puesta del sol en la mezquita de la plaza de Lavapiés, donde el chulerío de ahora toma el vermut con tapa al son del piano automático. Barajaba los piropos con una gracia especial, una gracia torera, como haciéndoles

[14] *El chileno en Madrid*, seg. ed., 1928, pág. 12.

verónicas a los hombres con el mantón viejo y lustroso, pero tan resalado que los agujeros parecían encajes.[15]

El chileno en Madrid contiene bellas páginas, hermosos caprichos verbales, atrevidas figuras de retórica y un ritmo especial que es la manera de ser del autor.

Hemos comparado a Joaquín Edwards con Baroja, pero mientras que el vasco es un «frío analista de almas que se coloca fuera de la sociedad, a distancia de sus sentimientos, de sus valores y de sus apreciaciones, para mirar sencillamente como un fenómeno curioso los hechos que agitan y conmueven a los hombres»,[16] el chileno se mete en esta sociedad, goza o sufre con sus acciones y se transforma de espectador en actor.

En la persona de Pedro se encuentran rasgos de psicología que le identifican con Edwards Bello, y más de un acontecimiento de la vida del autor se encuentra descrito en este libro. Con todo no es estrictamente una novela autobiográfica como *Valparaíso, la ciudad del viento*.

El autor habla en primera persona en esta última novela; es el protagonista, aunque ha dado mucha importancia a otros dos personajes: Perpetua Guzmán, su aya, o «mama», como dicen en Chile, y su abuelo. Ambos están estudiados con profundo cariño, y por lo tanto poseen esa verdad ideal de los caracteres concebidos subjetivamente. Empieza la acción en el pintoresco pueblo de Quillota, que el autor deja bien situado en su paisaje:

Las mañanas de Quillota son limpias como una mirada virginal; las colinas son suaves y el piano ritmo de la vida con-

---

[15] *El chileno en Madrid*, págs. 79–80.
[16] Andrenio, *Novelas y novelistas*, pág. 148.

trasta con los férreos ajetreos de Valparaíso. En la tarde, los cerros parecen hechos de carne de rosas como carne de chiquillas y se escuchan guitarras lontanas acompañadas de cantares amartelados.[17]

Allí en Quillota pasan cuatro meses del año en la Solanera, casona donde murieron sus padres y sus abuelos. Cada rincón de la casa tiene su historia; cada cuarto sus recuerdos. El abuelito recitaba, al pensar en los muertos, las coplas de Jorge Manrique; en el patio, Perpetua cantaba ...

A los doce años el niño ingresa en el Liceo de Valparaíso. De interés son las reminiscencias que hace de este plantel, de alumnos y profesores, en un estilo desenfadado y ligero, impertinente a veces, como cuando dice: «En el Liceo creían que el hombre debe ser animal: feo, hediondo y peludo»; absurdamente barojiano otras: «La instrucción pública es una plaga universal, como la tuberculosis». Las tristezas del muchacho hallan un bálsamo en la perogrullesca y eternamente humana filosofía de Perpetua: «Nunca pongáis cara e desconsuelo, que too tiene remedio»; «no son los estudios los que hacen la felicidad».

El joven estudiante del Liceo de Valparaíso nos cuenta sus escapadas y sus aventuras; sus vacaciones en Quillota, pueblo inundado de paisaje campestre; sus amores con Florita Wallace, prometida, más tarde esposa, de un millonario inglés. Cansado de los estudios el joven decide trabajar en algo y se hace corredor en vinos. Esto le da ocasión para viajar; va a Santiago, a Concepción, a Talcahuano; describe estas ciudades, sus costumbres, tipos lo-

---

[17] *Valparaíso, la ciudad del viento.*

cales, peripecias sin cuento. A su vuelta a Valparaíso encuentra a su padre casado con la madre de Florita, dama despótica y egoísta. La tristeza de su vida se distrae con los amores ahora correspondidos de Florita. El millonario le da un empleo en su oficina, y el joven conoce la vida de la bolsa y del agio. Cuando informan al inglés de las relaciones entre su mujer y su protegido, éste tiene que abandonar su empleo. Como ya ha muerto el abuelito y la pobreza se acerca amenazante, tiene que vender los muebles familiares. Florita y su marido se van a Europa, y en la distancia se va borrando lentamente el amor de los jóvenes. Paralelo a este relato va el otro que nos muestra la vida de Perpetua, su gran afecto por el niño y por el abuelo, sus amores misteriosos, el nacimiento de su hijo, Sancho, sus sufrimientos después que se casa el abuelo, y por fin la muerte de Sanchito, ahogado. Y para terminar el libro, después que la mano de la tragedia ha destruído vidas e ilusiones, la existencia tranquila del joven y la fiel «mama» en la Solanera:

Aquí estamos ya hace cuatro años. Perpetua se resolvió a vivir para mí. Está avejentada, más seca y algo sorda. A veces, en vez de llamarme Pedro me dice «Sanchito». Habla sola; ha perdido toda coquetería y va vestida de manda.

—Perpetua—le digo a veces—cuéntame un cuento.

Ella se ríe. Escribo estas líneas en mesa de madera de álamo. Llega la noche. Las ranas durmieron al día arrullándolo como a un niño con sus canciones.[18]

Como las primeras novelas de Joaquín Edwards Bello, *Valparaíso* es de tendencia costumbrista y autobiográfica. Es, si se quiere, el mismo tema del *Inútil* y del *Monstruo*,

---

[18] *Valparaíso*, págs. 224–226.

desarrollado muchos años más tarde, cuando el autor ha
ganado en cultura, en sensibilidad y en experiencia. La
pobreza de motivos, que el autor nos hace olvidar con sus
entretenidas divagaciones, se pone de manifiesto en estas
últimas obras. Todos los defectos apuntados anterior-
mente están aquí, menos visibles porque el autor se ha
dado cuenta de ellos, pero siempre presentes, inseparables
de su expresión. Imposible sería que el mismo Edwards
Bello dejara de ser el protagonista de su libro y que dejara
de revelársenos en esa complicada manera de ser suya,
en esa lucha constante entre el espíritu y la materia. Tur-
bios deseos, plebeyas ansias, gustos de una vulgaridad
desesperante combaten el suave idealismo del niño, cuya
vida se va ofreciendo a nuestros ojos de tal modo que
su psicología es una rara mezcla de sentimentalidad y
plebeyez. Abúlico, tonto, y sin embargo con una inne-
gable bondad ingénita y un refinamiento bien probado, el
protagonista nos desconcierta, porque a pesar de sus con-
tradicciones de carácter comprendemos que es un tipo
básicamente real. El carácter más logrado es el de Perpetua, que tiene todo «lo que encierra de distinguido y generoso el alma popular». En ella existe esa bondad absoluta
que no es producto de conveniencias sociales ni de hipo-
cresías; una bondad orgánica. A veces se eleva a cierta
grandeza fatalista, como cuando siente el llamado de la
maternidad: «Me gustó un joven y quise tener un hijo de
él, un hijo bien bonito». Y cuando su propio hijo muere,
todavía le queda vida a ella, a la madre, para dedicarla
al hijo del patrón, tan suyo como el otro, porque ella es
la «mama», la humilde mujer chilena siempre incompren-

dida, ahora interpretada íntima y piadosamente por este novelista. La figura del abuelo, también real, la habíamos encontrado en otros libros de este escritor, igual siempre, noble, fundamentalmente bueno, señor chileno de antigua hechura. Entre los personajes menores hay en todos ellos rasgos bien observados, aunque en general la abstracción ha generalizado un tanto cada tipo. Alzara es un ejemplo característico de cierta clase de chileno, alocado, violento, arbitrario, muy hombre, en opinión de un pueblo que rinde homenaje a la fuerza y culto al peligro. A Juan Luna le adornan ciertas cualidades pintorescas, propias de otro tipo de chileno. Doña Florencia es la mujer ambiciosa y vulgar que desea «colocar bien» a su hija, y ésta, como señorita muy moderna, se deja casar con perfecta indiferencia. Powderson, el millonario inglés, es el rey de los negocios, fumador de pipa, buen bebedor de whisky, marido descuidado.

De Baroja ha aprendido Edwards Bello ciertos detalles de técnica. Como él, podría asegurarnos que, más que hombre de buen gusto, trata de ser sincero; en ambos novelistas la gente buena es frecuentemente aplastada por la crueldad y la incomprensión; los dos, a vueltas de su paseo en compañía de almas sombrías, sienten el deseo de limpiarse, de ser poetas, y nos dan paisajes con sol, agua, canto de pájaros; vagabundos, cada uno en su medio, se olvidan de la trama para hacer diarios de viaje; de aquí proviene en ambos la fragilidad de la construcción, la tendencia constante a divagar. Sobre el andamiaje de sus novelas se podrían hacer edificios mucho más sólidos. Personajes introducidos en sus libros casualmente, ocupan muchas páginas al narrar parte de sus vidas. Como Baroja, el chileno prefiere la expresión escueta, franca, atrevida, grosera a veces; su humorismo y su desenfado no pueden ocultar su origen:

—El poetastro me dió la suya (su tarjeta), mirándome con rencor. Decía: Anaximandro Pontejos, poeta lírico. Yo le di la mía, donde hice poner: Pedro Lacerda Alderete, corredor en vinos.[19]

Y como el gran vasco, desprecia a los señoritos y señoritas cursis, la vida estúpida e hipócrita de la alta sociedad llena de amaneramientos y de fingidos intereses culturales, para ensalzar lo que es del pueblo, al cual ambos conceden más de lo que posee, en noble afán reivindicatorio. El chileno y el vasco llegan, en su cariño por lo popular, hasta hacer alguna vez la loa de la mugre.

La novela chilena, pobre de toda solemnidad, refugiada en el tema campestre, con sus topeaduras, sus trillas, sus rodeos, sus carreras, se enriquece con las obras de este escritor. Su observación es aquélla de que habla Madariaga en su ensayo sobre Pérez de Ayala, y consiste en una atención penetrante y aguda, que no se debe tanto al estímulo directo de la realidad como a la *sensibilidad intelectual* de una mente rica en ideas, que al menor estímulo da generosa mies de pensamiento.[20] En su descripción de ciudades saltan prejuicios y errores, determinados por las ideas que el autor tiene de sus habitantes. Quillota aparece hermoseada por el afecto; Valparaíso como agrandada y Santiago a veces empequeñcida. Su emoción

---

[19] *Valparaíso*, pág. 93.
[20] Salvador de Madariaga, *Semblanzas literarias contemporáneas*, Barcelona, 1924, pág. 109.

de chileno y de porteño se exalta ante el espectáculo de su ciudad, ante la tragedia de su ciudad, explotada primero y abandonada después, estética y materialmente empobrecida, sin un adelanto, rica sólo en el recuerdo de su hijo:

Valparaíso, la ciudad del viento, ha sido albergue pasajero de la gente que cobijó. Nada queda para insinuar al viajero su época de esplendor comercial; no posee una sola joya de arte capaz de figurar en las guías del turista. En cualquier poblacho de Europa hay alguna torre, algún acueducto o ruina reveladora de las generaciones que pasaron. En Valparaíso, mediante unas u otras desgracias, no permanece nada: el terremoto se llevó la huella de los hombres: la Intendencia española, el palacio Ross, el teatro de la Victoria.[21]

En estas ciudades comerciales surgen tipos nuevos, entre los cuales descuella ése del inglés adinerado, que se convierte en señor de los clubes y los salones y que con su riqueza hace y deshace en la aristocracia sometida a sus caprichos. Alrededor de este personaje hay muchos otros, algunos de los cuales figuran por primera vez en nuestras letras. La actuación de estos extranjeros y la facilidad con que la aristocracia les recibe en su seno, dan motivo para que el novelista, olvidado de su misión, se irrite y se convierta en un personaje más de su novela. Así como en aquella inquietante *Niebla* de Unamuno, uno de los personajes se enfrenta al autor y le grita: «Don Miguel, yo no quiero morir», en esta *Valparaíso* el autor mismo arremete contra sus principales caracteres y les echa en cara su egoísmo, su avaricia, su falta de cultura, su materialismo. Sus observaciones acerca de su raza son muy

---

[21] *Valparaíso*, pág. 150.

divertidas, aunque punzantes. Para hacer resaltar la buena educación de los «jóvenes bien» dice que no se llaman por sus nombres sino por motes. En admirable síntesis expone:

Había notado en los chilenos una tendencia destructora de hundir a lo que vale para proteger ineptos y pobretones. Solía decir:
Krauss fracasará porque no da coimas.[22]

Su pluma adquiere una noble fuerza al escribir estas cosas. Su espíritu escéptico se ha dado cuenta de que para prosperar en su patria no basta con ser inteligente y trabajador; el solo hecho de ser chileno es ya un obstáculo opuesto a nuestras aspiraciones:

Pero que no sepan que nacimos en Valparaíso, cerca del estero Jaime. Aquí todo es farsa, puerilidad y snobismo. Llega Mr. X. y todo va bien. Bancos, sociedades anónimas, minas, todo es ficción. Así he resuelto de una vez hacerme rico a fuerza de fantasía. Por medios rectos y legales no llegaría más allá de gañán o portero. En cambio, disfrazado de *Mac Limited* de la *Business Corporation* puedo aspirar muy alto.[23]

En la cartilla que Edwards Bello recomienda para triunfar en Chile hay más humorismo que verdad y, después de meditarla un momento, uno tiene que exclamar: *si non e vero e bien trovato*. He aquí sus siete consejos:

1. No se prodigue.
2. Asista a entierros y matrimonios.
3. Conteste todas las cartas.
4. Use anteojos.
5. Hágase masón.
6. No dé su opinión.
7. Coma y calle.[24]

---

[22] *Ibid.*, págs. 143–144. [23] *Ibid.*, págs. 148–149. [24] *Ibid.*, pág. 217.

A pesar de que Edwards Bello deforma muchas veces su observación exagerándola, queda siempre en ella una base esencial de verdad. De la mujer chilena dice:

Ahora digo que las santiaguinas tenían el tipo morisco y semita, aún las de apellidos vascongados y anglosajones. El clima del Mapocho produce esos perfiles de Judith y esos grandes ojos cansados con el cansancio de las tribus que, aunque ahora viven en los oasis, habitaron durante miles de años los desiertos.[25]

En un ambiente de pequeñas miserias, envidias y diferencias de clase, el espíritu de todo hombre se empequeñece y una amargura infinita le destruye todo intento. El hombre fundamentalmente bueno, justiciero, humanitario, ruge de ira ante el triste espectáculo. De aquí los grandes satíricos, los Quevedo, los Larra, que no son sino hombres entristecidos por la vida. Algo de esto sufre Edwards Bello al observar su país:

Quitando montañas y desiertos, Chile es un país pequeñísimo, cuyas minas y agricultura en plena actividad tienen propietarios. La industria, de porvenir limitado, es un campo para millonarios o extranjeros de amplio crédito. El chileno de acción ha de tomar sin remedio los siguientes caminos: revendedor, corredor, abogado-gestor, ingeniero, arquitecto-gestor, contratista, profesor, y, en último caso, por vocación irresistible, artista, equivalente a suicida. Ciertamente uno de nosotros podrá llegar a ser figura política, líder, pero para ello es necesario poseer la falsedad y ciertas condiciones de tontería. A causa de la envidia, la competencia mortífera y la ausencia de créditos, si llegamos a descubrir una mina, la venta se impone en forma urgente al yanqui o al inglés.[26]

Criollos en París trata de la vida de Pedro Plaza, joven chileno, en París, inmediatamente antes de la guerra y

---

[25] *Valparaíso*, pág. 103.   [26] *Ibid.*, pág. 87.

durante el conflicto. La intención del autor fué hacer una gran novela de caracteres; su resultado, una pequeña novela costumbrista. Vemos claramente en ella el París del autor: hoteles humildes o elegantes, clubs, garitos, prostíbulos, estaciones de ferrocarril, *music halls,* etc. El buen observador sacaría de esta novela una triste verdad: al hispanoamericano no le interesan las bibliotecas, los museos, la Sorbonne, la Comédie Française, l'Opéra, los conciertos sinfónicos, las catedrales, sino la ruleta o el bacará, las meretrices, el *folies bergères,* los bares, los salones mundanos, etc. En lo cual erraría, porque Edwards Bello representa sólo cierto tipo de hispanoamericano, el joven aristócrata, prematuramente dañado por la vida, que en su erotismo intelectual abandonaría una conferencia filosófica para seguir las piernas de una *midinette* por esos bulevares. Esto es típico de nuestro «joven bien». En Santiago, en Lima, en Buenos Aires, encuentra uno muchachos de apariencia distinguida que hablan de las cortesanas parisienses, de los parroquianos del *chat noir,* o de Maximes, de los salones de juego de Nice o la Riviera, de los jockeys famosos. Si mencionan a algún escritor será siempre André Gide, no por sus obras, sino por otras razones. No tenemos, como otros pueblos, una actitud cultural, sino una predisposición malsana para los goces prohibidos. Esto proviene de una absoluta ausencia de educación clásica, lo que equivale a decir, educación moral. Un alemán, un belga, un suizo, un japonés, en un país extranjero preguntarán: ¿qué teatros, qué museos podemos visitar? Un hispanoamericano dirá: ¿dónde está el barrio de las pecadoras? Para el europeo la cultura

su hermana Lucía y de su padre. Pedro se enamora de
Lucía. En un viaje que hacen a España, Lucía se enamora
de un teniente español, y huye con él. Pedro, que ha perdido todo su dinero en el Casino de San Sebastián, vuelve
a París desilusionado, en busca de Lisette. Esta vive ahora
con un oficial inglés y rechaza indignada a su ex amante.
El gobierno francés acusa a Pedro de pertenecer al ser-
vicio de espionaje alemán. Lucía es abandonada por el
español y vuelve a París a tiempo para salvar a Pedro
de las garras de la policía y hacerle salir de Francia con
el pasaporte de su padre. Fortalecidos por el dolor los dos
jóvenes entran en España, felices en su mutuo afecto.

El autor ha echado mano de una gran cantidad de caracteres para hacer olvidar la pobreza de la acción. Este
es un recurso que ya hemos encontrado en Baroja. Ante
este desfile cinematográfico de personas, nuestra atención
se esparce, pierde intensidad, pero halla su deleite en los
cambios frecuentes, en la variedad de la visión.

Ya en libros anteriores de este escritor la crítica había
notado falta de acción en las siete primeras octavas
partes de la obra y una precipitación de acontecimientos
en la última, proceso que se pone de manifiesto otra vez
en *Criollos en París*. Se creería que a Edwards Bello se
le olvida que está escribiendo una novela, y cuando se
acuerda castiga su imaginación. Sus novelas me dan la
impresión de una jaca muy mansa que fuera ramoneando
las hierbas del camino y que de repente, picada por una
abeja, echara a correr desbocada por el campo, saltando
cercas, esteros, y hortalizas. ¡Adiós sentido común, y
adiós psicología! La heroína, pese a su educación moral

y al cariño que siente por su padre, se enamora en dos días
de un extraño y huye con él cuando el pobre viejo está
enfermo. Luego, abandonada por el amante de un día, le
olvida por completo y huye con Pedro Plaza. La huida
de París con el pasaporte de un hombre viejo, tiñéndose
la cara con yodo, es folletinesca y absurda. La lucha de
Pedro con la policía sería lógica en una ciudad chilena,
pero no en París, especialmente en tiempo de guerra. La
transformación de Lisette, de amante rendida en señora
burguesa y anglizada, no convence a nadie. La caída ful-
minante de Plaza, hombre sereno y fuerte, hasta llegar a
mendigar unos centavos de una meretriz, es sólo posible
en la mente afiebrada de Edwards Bello. El matrimonio
de la madre de Pedro con el padre de Lucía, es una sorpresa de novelista prestidigitador. Verdad es que, desde
el principio del libro, el autor nos acostumbra a incon-
sistencias parecidas: Pedro Plaza, ex diplomático chileno,
del cual se esperaría cierta cultura, pide a su madre «de
cabellera blanca, cuello ebúrneo y manos largas»:

—No dejes de traer «La Vie Parisienne».

El estilo de *Criollos en París* es menos grandilocuente,
menos hinchado, que el de sus libros anteriores. En *Valparaíso la ciudad del viento* todavía es discursivo y palabrero, aunque a veces adquiere una gran elegancia lírica,
como cuando describe los vientos del Puerto. Los muchos
años de actividad periodística han hecho bien al escritor;
su pluma ha adquirido una soltura especial, una elasticidad poco común entre los escritores de su patria. El
diálogo, frecuente en esta última novela, es liviano, ágil,

natural. Breves descripciones del paisaje adquieren encanto de vida sana y joven y dan carácter poemático a algunas de sus páginas:

La mañana era dorada, el aire estático, y el mar de color verde parejo, sin un rizo.[27]

Una abeja entró por la ventanilla del vagón junto con las bocanadas del alegre olor a mañana. Luego dos o tres abejas más, atontadas por el perfume de los abetos, los pinos y las pequeñas flores salvajes.[28]

Ya no anda el autor presente en todas partes, sino que los personajes hablan y ven con más independencia. No hay nada escabroso en *Criollos en París,* aunque el autor se defienda de esta supuesta acusación en las breves palabras que preceden al relato. El autor nos asegura que los héroes pertenecen a la realidad, y viven en más de sesenta capítulos concretados simplemente por el azar. Lo cual no basta para hacer una novela superior, ya que todos podemos observar personajes reales, pero muy pocos son los que pueden llevarlos con éxito a la obra literaria. Menos real que Lucía puede ser esa viuda blanca y negra que nos presenta Gómez de la Serna en su entretenida novela de este nombre, pero cuánto más lógica dentro del ambiente en que actúa. Lucía es una persona real al principio, pero más tarde se vuelve peliculera, heroína de novela de este nombre, pero cuánto más lógica dentro de las muchas irregularidades psicológicas de Edwards y, por esta razón, más de algún crítico le creerá más artificial de lo que es en realidad. Entre los personajes menores hay algunos muy convincentes, el inmundo Bascuñán, el vene-

---

[27] *Criollos en París,* pág. 262. [28] *Ibid.,* págs. 254–255.

zolano fantástico y sobre todo Dueñitas que es, por muchas razones, el mejor observado de toda la novela.

El autor continúa explicándose: «Algunos son honestos, amantes del terruño, generosos; otros, en su mayor número, son antipatriotas, venales, frívolos, mentecatos. No es culpa de nadie; así nacieron y así los vemos. El autor no tiene por qué mentir; no pertenece a ningún comité pro acercamiento latino, ni a ninguna asamblea».

Hay que reconocer que este autor no anda con tapujos ni engañifas. Siempre trabaja con materiales auténticos, y no le teme a la verdad. Los aristócratas de su patria saben esto, y por eso le odian. Pero esta cualidad, que estaría muy bien en un periodista o en un historiador, no agrega nada, creo yo, al trabajo del escritor de ficción.

Con todos sus defectos, *Criollos en París* se lee con agrado, así como se leen las novelas de Blasco Ibáñez. Hay en ella muchísima imaginación, movimiento constante, conocimiento del medio.

Hace treinta años *Crillos en París* habría sido una novela representativa. La sensibilidad del momento acepta con más agrado una obra de Pérez de Ayala, de Güiraldes, de Pedro Prado. Pero sincerándonos, debemos declarar que las novelas de Edwards Bello tienen mucha más substancia, más carne que muchas de estas llamadas modernas, del subconsciente, donde no pasa nada.

De las novelas de Joaquín Edwards preferimos, como relato rápido y directo, *La muerte de Vanderbilt;* como documento sociológico y real, *El roto;* y como novela de fuerza, la que consideramos su obra maestra: *El chileno en Madrid.*

BIBLIOGRAFIA

El inútil, Santiago, 1910.
El monstruo, Santiago, 1912. Hay tres ediciones.
Cuentos de todos colores, Santiago, 1912.
La tragedia del Titanic, Santiago, 1912.
La cuna de Esmeraldo, Paris, 1918.
El roto, Santiago, 1920. Hay ocho ediciones.
La muerte de Vanderbilt, Santiago, 1922.
El chileno en Madrid, Santiago, 1928.
Cap Polonio, Santiago, 1929.
Valparaíso, la ciudad del viento, Santiago, 1931.
Criollos en París, Santiago, 1933.
La chica del Crillón, Santiago, 1935.

Manuel Gálvez

Manuel Gálvez

(1882–   )

MANUEL GÁLVEZ es alto, esbelto, nervioso, gran char-
lador. Como sufre de cierto defecto auditivo, habla constantemente en falsete, moviendo siempre los brazos. Su
conversación es movida y pintoresca. Es un gran ingenuo
y un gran sensitivo; se diría un niño grande a quien hay
que tener contento. Ríe con gusto, hombre sano al fin, pero
puede sentirse por una frase, por una opinión. Muy amigo
de sus amigos, puede también ser enemigo formidable.
Se le ha tildado deególatra y en verdad al hombre le
preocupa demasiado el escritor, flaqueza que a la larga
es benéfica. Vive como literato, pendiente de la crítica,
atento al artículo, al comentario, entre libros y revistas,
en el bullicio de Buenos Aires.

Gálvez nació en Paraná, capital de la provincia de
Entre Ríos, en 1882, de familia acomodada. Estudió en
Santa Fe en un colegio de jesuítas; en 1898 ingresó en la
Escuela de Leyes de la Universidad de Buenos Aires;
obtuvo su título de abogado con una tesis sobre la trata
de blancas, tema que aprovechó más tarde en su novela
Nacha Regules. En 1903 fundó, en compañía de un amigo,
la revista literaria *Ideas,* en la cual colaboraron algunos
escritores que ocupan hoy un alto puesto en las letras

argentinas. Hizo un extenso viaje por Europa; fué nombrado después Inspector de enseñanza secundaria y en tal carácter se documentó para hacer su novela *La maestra normal*. En 1911 viajó por España y como resultado de ese viaje nos dejó su apasionado libro *El solar de la raza*. *La maestra*, publicada en 1914, dió a conocer su nombre en todo el mundo de habla castellana, y desde esa fecha, al hablarse de la novela argentina, se menciona en primer lugar a Manuel Gálvez. En 1917 fundó la Cooperativa editorial Buenos Aires, enorme labor de índole nacionalista. Desde entonces toda su historia se podría limitar a la aparición de sus libros y a los comentarios por ellos suscitados. No creo equivocarme al afirmar que Gálvez ha sido el escritor más discutido entre los modernos de su patria. Recientemente, su candidatura al Premio Nobel despertó acaloradas controversias.

Manuel Gálvez ha escrito libros de versos (*El enigma interior y Sendero de humildad*), crítica social (*El diario de Gabriel Quiroga*), crítica literaria (*La vida múltiple*), sociología (*La inseguridad de la vida obrera*) y varias obras teatrales (*Nacha Regules, El hombre de los ojos azules*). En todas estas obras ha cumplido con dignidad su cometido, aunque ninguna bastaría a hacerle descollar en las letras de su patria.

Gálvez posee una cultura abundante, irregular acaso, no metódicamente asimilada, muy de acuerdo con su temperamento de hombre nervioso y apresurado. Conoce bien sus clásicos castellanos y anda con seguridad por el campo de las letras francesas. Con más serenidad creo que habría ido más lejos, tanto en la asimilación de sus materiales como en la distribución de los mismos en sus novelas. Pero exigirle una actitud más clásica acaso sería pedirle que renunciara a su idiosincrasia de argentino.

Los dos novelistas más conocidos de la República Argentina son Hugo Wast y Manuel Gálvez, dentro y fuera de la patria. De acuerdo con una amplia concepción de lo que es el novelista y de lo que es el argentinismo, ambos escritores merecen la popularidad que les conceden sus lectores y representan aspectos bien definidos en la expresión literaria argentina. Ambos han querido dar a su labor un carácter nacional y se han dirigido al gran público. Wast ocupa en este sentido el primer lugar, ya que algunas de sus obras han alcanzado un tiraje de más de cien mil ejemplares. Gálvez ofrece, para la *Maestra normal,* un tiraje de más de quince mil, y para *Nacha Regules,* la extraordinaria cifra de treinta mil; lo que indica que ambos novelistas tienen un gran público fuera de la Argentina. En efecto, sus novelas son leídas en toda la América, en España, Francia y Estados Unidos y hay traducciones de más de una en casi todos los idiomas europeos. La popularidad de Gálvez está relativamente limitada por varias razones. Tiene un público medio equidistante de esa masa insubstancial de lectores y lectoras de folletines y de la *élite* intelectual, que anda eternamente en pos de lo que ella llama la *nueva sensibilidad* y que lee a Huxley, Romaines, o Gide, a veces sin entenderlos. Esta *élite* niega a Leopoldo Lugones, a Ricardo Rojas, a E. Rodríguez Larreta, a Manuel Gálvez y a otros escritores que han adquirido prestigio de maestros en nuestro continente. Con lo anterior quiero situar a Gálvez, para que no se piense que por tener un gran número de lectores se ha convertido en un Vargas Vila.

No. Gálvez es un escritor honrado y trabajador y tiene su público de gente culta, profesionales, políticos, maestros, escritores, que se apasionan con sus libros, discuten sus opiniones, le atacan y le defienden. Con lo cual queda dicho que Gálvez es un novelista de ideas que se mete a fondo en problemas sociales, artísticos, religiosos, educacionales o científicos. El lector se da cuenta de que más allá del movimiento y la pasión de los caracteres, el autor maneja una serie de teorías suyas; de que hay en sus obras una buena cantidad de elementos extraños a la narración pura o al estudio psicológico; pero Gálvez mezcla sus elementos con maestría. En otras palabras, el novelista argentino es un determinista que se deja vencer a veces por sus personajes. No es un determinista a la manera de Zola, sino que, con mucho de ingenuo o de apóstol, cree en el poder de la razón y de la bondad individuales, y a menudo triunfa su romanticismo sobre su deber de escritor realista.

Una interpretación sentimental de los problemas humanos hace que Gálvez sea diferente de Zola. El mismo niega ser discípulo del autor de *La terre,* pero sus argumentos son bastante débiles:

No sé por qué empeño se me considera como un continuador del naturalismo. Mi única novela naturalista—y no lo es enteramente, pues contiene algo de subjetivo y no escasea en ella el análisis—es *La maestra normal.* La novela que a ésta siguió, *El mal metafísico,* está lejos de ser naturalista, pues en ella las cosas apenas son descritas y el ambiente no «determina» a los personajes. En *La sombra del convento* abundan, es cierto, las descripciones de paisajes y cosas, pero sólo figuran allí con carácter decorativo; sin contar con que, en cierto sentido, es ésa una novela de análisis. *Nacha Regules* ya está en el extremo opuesto al naturalismo y aún al realismo. No solamente las cosas no son descritas en ella, sino que aun la técnica realista, según la cual fueron compuestas las anteriores novelas, desaparece allí por completo. *Nacha Regules* es un libro romántico por el predominio del sentimiento y, a la vez, muy moderno por la forma de la inquietud y por su técnica. *La Tragedia de un hombre fuerte* inicia una orientación psicológica dentro de mi obra literaria.[1]

Argumentos son éstos que no convencen a nadie. Gálvez es más romántico, más emocional que Zola, pero en la manera de comprender el sentido y el propósito de la novela se parecen. Si hay elementos subjetivos y análisis en la *Maestra,* también los hay en casi todas las novelas del francés. En *El mal metafísico* me parece a mí que los sufrimientos y muerte de Carlos Riga, poeta y abúlico, son causados por la falta de ambiente literario, por la diferencia de clase social, por la incomprensión del gran público. Sin embargo, en esta obra hay un gran sentimiento de piedad por los humildes y por los fracasados, más propios de Daudet o de Dickens que de Zola.

También se presiente el influjo de Daudet en *La sombra del convento*—novela con tendencia psicológica en que se narran los amores, la falta de fe y la conversión de un joven cordobés. Tiene esta obra la fina ternura, la viva sentimentalidad, el subjetivismo, la amorosa descripción de paisajes lugareños, la mezcla de poesía y tragedia, la profunda piedad por los caracteres y el impresionismo propios del autor de *L'Evangéliste.* En *El mal metafísico* y en la *Maestra normal* se puede hallar el realismo rico

---

[1] *La tragedia de un hombre fuerte*, Buenos Aires, 1922, págs. 8 y 9.

en matices de Eça de Queiroz y la dualidad estética de Flaubert, tan bien expresada con sus propias palabras: «Il y a en moi, deux bonshommes distincts, un qui est épris de gueulades, de lyrisme, de grands vols d'aigle, de toutes les sonorités de la phrase et des sommets de l'idée; un autre qui creuse et qui fouille le vrai tant qu'il peut, qui aime à accuser le petit fait aussi puissamment que le grand, qui voudrait vous faire sentir presque matérielle-ment les choses qu'il reproduit».[2] En estos dos libros de Gálvez hay una grandilocuencia lírica, un continuo bara-jar de ideas y de teorías y una sostenida descripción de hechos y de cosas, que retardan el movimiento de las nove-las y las hacen monótonas. Esa enumeración de detalles pequeños que constituyen la existencia cotidiana de los hombres, esa pintura material y minuciosa, ese afán por «acusser le petit fait aussi puissamment que le grand» asemejan en cierto modo a ambos escritores. Pero es in-dudable que ese retrato verídico y profundo de la sociedad de París que se llama *L'Education sentimentale* estaba fijo en la mente de Gálvez mientras relataba la vida amarga de Carlos Riga. Un estudio detenido de *Mme. Bovary* y de las psicologías femeninas de Gálvez sería de especial interés a este respecto.

Como Gálvez es un gran conocedor de la literature fran-cesa moderna, no sería raro encontrar en sus otras novelas ecos cercanos de los Goncourt, de Bourget, de Proust, de Romain Rolland y de León Bloy.[3] También puede hallarse similitud de temperamento y de motivos con los novelistas

[2] Flaubert, *Correspondance* (à Mme X***).
[3] Véase el punto culminante de *Nacha Regules*.

rusos, especialmente Dostoievski y Tolstoi, pero éstas ya son influencias más vagas y en este campo de la literatura comparada es tan fácil errar como acertar.[4]

Nacha Regules, que Gálvez quiere ver en el extremo opuesto del naturalismo, tiene mucho de *Nana* en el tema, la manera de tratarlo y hasta en el éxito enorme de librería que ambas obras significaron a sus autores, exceptuando, claro está, diferencias de ambiente y de carácter racial. Gálvez parece no atribuir mucha importancia a la herencia, pero es en cierto sentido el observador y el experimentador de que habla Zola en su estudio sobre la novela, y obras como *Historia de arrabal* no podrían explicarse sin los antecedentes de la escuela naturalista. Los trabajos del frigorífico, la fealdad del barrio de las Ranas, los burdeles, las escenas repugnantes, la brutalidad odiosa del chino, todo lo que ofende a la sensibilidad, al oído, al ojo y al olfato, expresado en un estilo nervioso, cortado, brusco, vulgar a ratos, revela que este escritor no ha leído en vano al maestro de *Le Ventre de París.*

Es curioso observar cómo Gálvez insiste en que no hace novela de tesis y en que ningún personaje de sus novelas representa sus ideas. Afirma que ninguno de sus libros ha sido autobiográfico y declara: «en cuanto novelista, no tengo ideas ni opiniones. Mi oficio, como tal, consiste sólo en reflejar la vida. El novelista debe ser como un espejo ante el cual desfilan los hombres, las cosas y las doctrinas».[5] Afortunadamente no es así. Si Gálvez no se solidariza con las opiniones de sus personajes por lo menos

[4] Se hace sentir la necesidad de un estudio serio sobre las influencias de los rusos en la novela hispanoamericana moderna.
[5] La *Tragedia de un hombre fuerte,* pág. 6.

siente él—y también el lector—una fuerte simpatía por las
víctimas de la injusticia, por los tristes y los fracasados;
un fuerte odio por los malos, los intrigantes, los envi-
diosos. No caeré yo en el error de acusar a Gálvez de
disolvente, de radical o de socialista, como lo han hecho
algunos críticos argentinos. Una cosa es denunciar las
injusticias y los errores en una novela y otra luchar en
la práctica por mejorar la sociedad. Gálvez es un buen
burgués que juega *golf* y visita damas aristocráticas, y yo
estoy seguro de que conoce los barrios bajos, las fábricas,
los frigoríficos, los centros obreros, sólo de pasadita. No
hay en él pasta de reformador civil, harina de héroe. Está
muy lejos de ser un Tolstoi. Su ingenuidad parece detenerse en este punto. Y él no sólo no quiere ser socialista
sino que tampoco desea parecerlo y lo niega con vehemen-
cia cuando se le ofrece la ocasión. En una entrevista que
le hice en Buenos Aires, se expresó enfáticamente sobre
este asunto:

Hay en mí una gran piedad por todos los que sufren, y esto
ha originado algunas páginas rebeldes de mis libros. Pero no he
sido, desde que escribo novelas al menos, ni soy, socialista ni
nada. En cuanto a la religión, (he sido católico siempre) se ve
en varios de mis libros. No hay en mis novelas ninguna intención
moralizadora, aunque algunos crean lo contrario. Tampoco he
pretendido reformar la humanidad. En *Nacha* hay un sentimiento de rebeldía ante la injusticia social, pero no alcanza a
constituir una tesis. No soy tampoco un pacifista a ultranza,
aunque de mis *Escenas de la guerra del Paraguay* se desprenda
una enseñanza pacifista.

Acusar a Gálvez de socialista es caer en la paradoja de
decir que Rousseau es el creador del socialismo, del comu-

nismo y de otras cosas parecidas, como lo hace el profesor Irving Babbitt en su libro *Rousseau and Romanticism*. Por lo demás, el catolicismo tradicional de Gálvez excluye toda simpatía política izquierdista. En *Nacha Regules* hay un momento en que el héroe, Monsalvat, se vuelve contra la sociedad, habla de odio y destrucción; pero descontando la salida del novelista que afirmaría: «Monsalvat es Monsalvat», esta actitud de rebeldía es sólo una racha, no una convicción constante y permanente del personaje.

Gálvez es sobre todo un novelista de ambientes. Ya he dicho que también se apasiona por sus personajes, pero esto es a posteriori. En todas sus novelas, desde la *Maestra* hasta *Jornadas de agonía,* evoca épocas idas, se pierde en el horizonte ilimitado de sus experiencias de mozo. Y aquí es donde Gálvez se acerca más a mi concepto de buen novelista, en la riqueza del mundo de los recuerdos, en los paisajes interiores, en la emoción de su pasado, en las impresiones objetivas que ha hecho suyas. Un artista que no se haya documentado espiritualmente será siempre un improvisador, un enumerador de acontecimientos y de individuos; sólo la larga vida interna nos da abundancia y generosidad de expresión. De este modo, antes de escribir su novela, Gálvez crea—o rememora—su ambiente y, dentro de él, todos los hombres y mujeres que lo integran. Es decir, que los hombres nunca existen aislados para él, sino que son producto del ambiente. En algunos de sus libros el hombre es lo secundario, se empequeñece en los dilatados panoramas que su vista abarca. En otros, sin embargo, sin que exageremos su pericia de psicólogo, el hombre es superior al medio; el romanticismo inmanente del autor orienta su manera de hacer.

En sus primeras novelas (*Maestra normal, Mal metafísico, La sombra del convento*) Gálvez se documentaba; tomaba notas; hacía planes o esbozos. Luego trabajaba metódicamente cuatro o cinco páginas cada mañana, después de haber arreglado mentalmente el relato la noche anterior. Pero una vez adquirida la pericia del profesional, Gálvez concibe la obra en conjunto, según él, hasta con el número de páginas que debe tener. Luego se ambienta emocionalmente, vuelve a vivir los años de su infancia y su niñez, recuerda los teatros provincianos, los colegios y las iglesias y busca antiguos estados de alma en la música. Cuando escribió la *Maestra normal* no le era bastante la documentación objetiva, y para sentir profunda y cándidamente a La Rioja silbaba o tarareaba la vidalita de Joaquín González, típica de aquella ciudad.

He hablado de influencias, y he mencionado nombres de escritores europeos porque, a pesar de que Gálvez ha querido darnos en sus novelas los múltiples aspectos de la vida argentina en la capital y en las provincias, su técnica es perfectamente tradicional. Si él es, como ha afirmado más de un crítico, «el novelista argentino», esta afirmación debe referirse a lo que la Argentina tiene de europeo, no de autóctomo. Jamás se siente en la obra de este autor ese sabor de tierra, de raíz nacional, que hay en *El casamiento de Laucha*, de Payró, o en *Los caranchos*, de Lynch o en *Don Segundo Sombra*, de Güiraldes.

Así como Enrique Larreta, gran señor y diplomático, que ha vivido muchos años en París, me parece absurdo al tratar la vida gauchesca en *Zogoibi,* Gálvez me da una fuerte impresión de artificio y de incomprensión psicológica en *La pampa y su pasión,*—novela del *turf.* El hombre de ciudad que es el autor, pisa en terreno desconocido y no se ambienta bien. Sus personajes centrales son sólo muñecos que bailan según el capricho del autor. Así como un periodista no tendría nada que mandar a su diario desde los pagos de Don Segundo Sombra, Gálvez no descubre ni revela al gaucho que debería haber en Fermín, protagonista de la novela.

Gálvez es en primer lugar el narrador, y en segundo el comentador de su propia narración. Se ha dado la enorme tarea de mostrarnos la Argentina moderna, su rápida evolución y su grandeza, y sus defectos, en forma de novelas. En *La maestra* describe la vida de La Rioja, ciudad del interior, vida vulgar y monótona, en que la maestra Raselda ama y sufre su tragedia, expone la pequeñez moral de los maestros de escuela; en *El mal metafísico,* es Buenos Aires, cosmópolis; la lucha desesperada, el fracaso y la muerte del literato; en *La sombra del convento,* es la Córdoba antigua y retrógrada y la lucha entre el clericalismo estrecho y el liberalismo naciente; en *Nacha Regules* hallamos la vida triste de la bohemia y la prostitución en la gran capital y la nobleza de sus mejores hijos; en *La tragedia de un hombre fuerte,* todo el espectáculo de las transformaciones en la moral de la mujer bonaerense, y el nuevo concepto del amor y de la libertad; en *Historia de arrabal,* toda la miseria del hampa y el sufrimiento de los obreros; en *El cántico espiritual,* el triunfo del amor espiritual en el alma heroica del artista;

en *La pampa y su pasión,* el apasionamiento del argentino por el caballo, factor de su grandeza nacional; en *Miércoles santo,* la vida cotidiana de un confesor ante quien se desnudan, mediante la confesión, las almas de los representantes de la nueva Argentina; en las *Escenas de la guerra del Paraguay,* la lucha armada de su patria contra Solano López para abolir la tiranía y el absolutismo en América.

Como narrador logra dar cierto interés a su relato. Es en este sentido una mezcla de Balzac y Zola. Sin embargo, en el mérito de su empresa está su debilidad. La tendencia utilitaria de toda su obra hace que ella adquiera un carácter transitorio y efímero. Hace novela de ciclos históricos pequeños. Dentro de cien años la sociedad actual, vista a través de *Nacha,* la *Maestra,* etc., no interesará a ningún argentino; y hoy mismo, un inglés o un ruso no logran penetrar la esencia de su drama, ya que éste está limitado por el lugar y por el tiempo. Es el caso antitético de Don Quijote, que siendo español y del siglo diez y seis es todo eso en grado inferior al hecho de ser hombre. En nuestra época, las novelas de Tolstoi nos dan una sociedad de todos los tiempos y lugares. No creo exagerado asegurar que *El mal metafísico* y *Nacha* son ya novelas anacrónicas, pues en estos quince años la independencia moral y económica del literato y de la mujer ha evolucionado de tal modo que las leyes impedirían que se efectuaran tragedias de esta naturaleza en Buenos Aires, o en La Rioja. Este defecto, claro está, no es sólo de Gálvez, sino que caracteriza a la mayor parte de la novela hispanoamericana, ya que nuestras sociedades evolucionan bruscamente.

En gran parte esto se debe a la novela documentada, al prurito de exactitud descriptiva que hizo que los novelistas se tornaran historiadores, arquitectos, agrónomos, mueblistas, médicos, sociólogos, y se olvidaran de que siempre, en toda obra de arte, el elemento primordial es la imaginación. Esta clase de novela no puede resistir a la prueba del tiempo, y si algunas obras de este período sobreviven será a causa de otras cualidades del autor. A nadie le importa hoy que las ventas, las ferias o los palacios sean o no históricamente exactos en *El Lazarillo de Tormes* o en *Don Quijote;* y por mucho que se hubiera documentado Fernán Caballero, a nadie le interesaría leer sus novelas, por muy veraz que fuera su documentación.

A veces,—aunque sea un detalle mínimo,—se rompe la naturalidad del relato por el prurito detallista, como en esta descripción:

Solís observó a Raselda. Tenía un tipo muy provinciano. De estatura mediana, más bien baja, no carecía de cierta elegancia natural. Era bien formada y repleta de carnes sin llegar a ser gruesa. Cuando caminaba, sus senos, redondos y blandos, mal sujetados por los amplios corsés que se usaban generalmente en los pueblos, se movían con movimientos bien perceptibles.[6]

Por muy bien trazada que estuviera aquí la imagen de Raselda, no dejaría de llamarnos la atención ese detalle casual, accidental, de «los amplios corsés», ni de saber que «se usaban generalmente en los pueblos». Y dentro de cincuenta años, si todavía se lee este libro, se creerá que entre el autor y la heroína existe toda una época o más, ya que necesita situarla históricamente. El afán de

---

[6] *La maestra normal,* pág. 57.

la exactitud del detalle ocupa un lugar más importante que la concepción imaginativa.

El deber de todo novelista es dar una idea de la sociedad, no como abstracción sino como realidad ideal, a través del desarrollo de sus personajes, que los caracteres mismos vayan mostrando al lector la sociedad en que actúan. Así sucede en las novelas de Dostoievski y de Proust. En las de Gálvez, por el contrario, la sociedad existe como elemento enteramente separado de los caracteres, antes, durante y después que ellos, y a veces esta sociedad ni siquiera es la real, sino que es sólo la abstracción que el novelista ha hecho de ella, y los personajes pasan a ocupar el lugar secundario de mecanismos destinados a ilustrar las ideas del autor. De modo que todas sus novelas son francamente históricas, no de ambiente psicológico, ni siquiera *La tragedia de un hombre fuerte*, ya que hasta en ésta es la sociedad en evolución la que determina la tragedia, y las fuerzas sociales son los factores básicos y el hombre fuerte una ilustración de las mismas.

Por las razones más arriba expuestas, Manuel Gálvez parece encontrar su verdadero camino en la novela histórica pura: *Los caminos de la muerte, Humaitá, Jornadas de agonía.* Verdad es que aquí hay ficción e historia, pero por lo menos sabemos que la ficción es ficción y la historia es historia. Y como acontece que la figura del héroe central de esta novela, Solano López, es de un inaudito valor novelesco, resulta que al lector le parece lo verdadero ficticio y viceversa. Y en estas tres novelas de las guerras del Paraguay, Gálvez ha puesto toda su pasión de poeta y de romántico, y como son todas novelas de acción, es decir la novela en su forma más sencilla, el lector galopa por estas páginas sin detenerse ante los detalles que pudieran retardar el movimiento. Para el lector moderno, acostumbrado a la vida tranquila de la ciudad y a la monotonía de los deberes diarios, esta clase de novela significa una fuga de la realidad hacia las formas más violentas y peligrosas de la guerra. Gálvez ha dado a la historia un interés dramático, y si no fuera por su minuciosa descripción, esta trilogía podría figurar entre las mejores que se han escrito en nuestro idioma. Tiene intensidad, movimiento, caracteres de inaudita originalidad. Adolece sin embargo de fatigosa enumeración, de irregularidad en el plan, falta de trabazón y una imperdonable ligereza de estilo. Como en todos los libros de este escritor hay en la *Trilogía* una gran cantidad de cualidades de verdadero novelista que se pierden entre una cantidad igual de defectos.

Gálvez usa un número extraordinario de argumentos y de razones para convencernos de que sus personajes están actuando de acuerdo con la realidad, para convencerse a sí mismo en primer lugar, y después al lector. De lo cual resulta que sus hombres y mujeres se tiñen inmediatamente de un color novelesco y terminan por convertirse en caricaturas. La superabundancia en lo característico es un proceso elemental; es como si un pintor, para darnos su idea de un enano, lo pintara de tres pulgadas al lado de un árbol o de una casa de quince metros de altura, o como esos Mefistófeles operáticos con cola y cuernos, que echan fuego por ojos y boca. Raselda, Solís, doña Críspula, Riga, Nacha, Flores, Belderraín, El Chino, Rosalinda, son personajes unilaterales que, desde que aparecen en la novela, señalan una trayectoria rectilínea, sin desviaciones, sin sorpresas, fieles en su conducta a las ideas abstractas del creador. A veces, cuando uno quisiera detenerlos en su carrera ciega, sacarlos de la armadura de hierro que los oprime, se sienten deseos de exclamar:—«Señor Gálvez, póngales en la actitud humana y lógica, hágalos hombres de una vez». La emoción del lector no se aplica a los caracteres, sino al creador de sus vidas y de sus destinos inexorables. Cuando dice Solís: «Yo soy un desgraciado», nos da la fórmula completa de su personalidad; será inútil que le sonría el amor de una mujer sencilla y buena; su existencia está ya trazada y contra viento y marea tendrá que ser un desgraciado. Y cuando Raselda declara que el libro que más la ha hecho llorar es *María* de Isaacs, parecería inútil agregar más para conocerla a fondo a través de toda su historia. Estaba decidido que en la primera entrevista entre Riga y Lita quedaría señalada la ruta dolorosa del muchacho; su voluntad no existe, porque así lo decidió su creador, y en las muchas ocasiones en que pudo salvarse, acontecimientos causados arbitrariamente se lo impidieron. En *Historia de arrabal*, Rosalinda se deja dominar por un malvado, y aun odiándole asesina, por mandato suyo, al único hombre que la amaba. En la primera frase del Chino, Rosalinda queda definida para toda la novela:

—¿Qué estás haciendo? Salí d'áhi.
Linda se estremeció y quedóse inmóvil, como aterrorizada. El hombre la agarró de un brazo y la sacó del lugar.

Cuando se piensa que esto pasa en las primeras páginas

del libro, se comprende que, en las ciento cincuenta restantes, lo único que hará el escritor será poner en práctica la fórmula ya anunciada. No puede ya haber sorpresas, porque los caracteres son lisos, carecen de esa plenitud propia de los hombres vivos.

Sin embargo, hay algo en los libros del escritor argentino que les da un valor especial en la literatura de su patria. Ya lo dijo Giusti:

Así, en el fárrago de las advertencias, acotaciones, disertaciones, reflexiones, explicaciones y controversias, quedan ahogadas eficacísimas descripciones, felices adivinaciones psicológicas, interesantes opiniones sobre el arte y la vida—más lo serían si menos prodigadas—y un noble idealismo estético y vital.[7]

Con alma de poeta describe Gálvez el paisaje, aromado de azahares en La Rioja, bañado de sol en las sierras de Córdoba; monótono en la pampa; exuberante y sonoro en el Trópico. En las descripciones de ciudades antiguas y modernas, iglesias, escuelas, paseos, calles y casas particulares, logra dar un cuadro fiel de la realidad, demasiado fiel a veces. Cuando analiza caracteres obtiene la certeza del psicólogo, admirable de intuición, decidido en la busca, y nos los presenta revelados enteramente, como en *El cántico espiritual* y *La tragedia de un hombre fuerte*, libros en los cuales se hallan también las opiniones del autor sobre temas artísticos y literarios, conceptos muy modernos acerca del amor, teorías filosóficas y un sinnúmero de observaciones sobre mil tópicos de orientación intelectual.

Sus protagonistas predilectos son enamorados del en-

[7] Roberto Giusti, *La novela y el cuento argentinos*, «Nosotros», número aniversario.

sueño y de la belleza, soñadores del armonioso país de la
fantasía; en medio de las miserias de la vida, de los con-
tratiempos, antagonismos, obstáculos materiales, etc., lle-
van como una flor inmarcesibles sus visiones. Triunfan al
fin, o mueren, sin claudicar, siempre puros, sin conta-
giarse de vulgaridad o de maldad, al contacto de espíritus
mezquinos. Raselda, en la tragedia profunda de su existencia, fortalecida por el sufrimiento, libre de su sensualidad y su romanticismo, se entrega a la paz de la religión;
Carlos Riga muere, siempre fiel a su ideal de poeta; Nacha
se hace perdonar y admirar por su devoción al amante
ciego; el padre Eudosio de *Miércoles santo* es una extraña
flor de pureza y misticismo. Ante la vida, Gálvez afirma
su idealismo por su visión optimista del futuro. Aunque
a veces triunfen en sus libros la maldad, la flaqueza, el
egoísmo, la incomprensión y la ignorancia, es evidente
que el autor tiene fe en la sociedad futura y trata de con-
tribuir a su perfeccionamiento exponiendo las llagas de
la sociedad presente.

Al mencionar la falta de plenitud de sus personajes,
que se ofrecen al lector deformados o estilizados, me asalta
una seria duda de procedimiento crítico. ¿Cómo es posible
que con estos personajes de una sola dimensión logre el
novelista, en algunas de sus obras, tanta intensidad y cuadros de realismo tan auténtico? La respuesta creo hallarla
en el hecho de que Gálvez es, a pesar de todo, un introverso
y, por lo tanto, sus novelas son mejores mientras más cerca
están sus protagonistas de su «yo». Le pasa exactamente
lo que a Gorki, que logra su máxima altura en las tres
novelas que se refieren a su vida y decae cuando él mismo

no forma parte de la ficción. Por otra parte, como Solís, Raselda, el Chino, Nacha, Riga y tantas otras figuras, se nos han quedado con trazos firmes y bien marcados en el recuerdo, vemos la posibilidad de que el hombre completo con todas sus facetas, no sea verdaderamente indispensable en la narración literaria.

Sobre el estilo de Gálvez hay poco que decir. No le interesa la expresión poética ni tiene una manera estrictamente personal. Narra con sencillez, y si no fuera por su minuciosa enumeración, que le hace incurrir en cierta pesadez y en innumerables repeticiones, diría que con elegancia. A veces logra elevarse en sus páginas dramáticas o épicas y no sería difícil encontrar en la trilogía de *Las guerras del Paraguay* selecciones dignas de antología. Algún crítico ha dicho que Gálvez es un escritor castizo. No creo justa la observación, por cuanto el escritor logra salirse del clisé que los prosistas españoles del siglo diez y nueve llamaban casticismo. Como no tiene la claridad ni la elegancia de un Fray Luis de Granada ni el generoso empalagamiento de un Ricardo León, no veo a qué casticismo pueda aspirar nuestro novelista. Claro está que, dentro de la anarquía de la prosa argentina moderna— anarquía natural y admirable—Gálvez es uno de los pocos escritores que siguen a rasgos generales las formas estilísticas más comunes en España. Sus períodos son breves, no abusa de las conjunciones ni de los relativos, puntúa caprichosamente y si el argentinismo aparece es más con una intención técnica que por desconocimiento del idioma. Gálvez, que conoce muy bien sus clásicos castellanos, sabe olvidarse a tiempo de sus enseñanzas, cuando así lo requiere la modernidad de la expresión o el concepto de libertad literaria que es propio de los hispanoamericanos.

En estos últimos años, cuando se habló de la necesidad de que el premio Nobel recayera sobre algún escritor de nuestro continente, muchos intelectuales apoyaron la candidatura de Manuel Gálvez, lógica pretensión si se atiende a que entre el primer americano del norte que obtuvo tal distinción, Sinclair Lewis, y el novelista argentino, hay similitudes extraordinarias. Ambos son escritores realistas, ambos han leído con mucho provecho a Flaubert y a Zola, ambos critican con acritud a la sociedad en que viven, ambos tienen un concepto utilitario de la novela y ambos dan pequeña importancia a la parte estética de sus creaciones.

La indignación que despertara en cierta sección del público argentino *La maestra normal,* la ha provocado en Estados Unidos toda la obra de Lewis, y los ataques que sufriera Gálvez de parte de críticos y periodistas los ha sufrido el norteamericano, a partir de *Main Street.*

El crítico muchas veces se equivoca, mas yo creo que es su deber establecer categorías y señalar valores. De todos los libros de Manuel Gálvez, sólo *La maestra normal* resistirá los embates del tiempo. Subsistirán, por el movimiento y la intensidad, *Las guerras del Paraguay;* se salvarán algunas páginas de *Nacha Regules* y *El mal metafísico.* Lo demás se lo tragará todo el olvido y sólo algún historiador o algún sociólogo del futuro buscarán en sus libros datos, detalles, color local, documentos de vida, que no son la vida misma, y pretenderán dar a otras generaciones una interpretación exacta de la vida argentina en el primer tercio del siglo XX. Reincide Gálvez en *Hombres en soledad* que más que novela parece una guía psicológica de la ciudad de Buenos Aires. En esta novela hombres y mujeres son lo que el novelista quiere que sean y se convierten por fin en muñecos de papel. El documento histórico apenas llega a torcida interpretación literaria.

Sin pretender que Gálvez haya llegado ya al fin de su carrera—lo negarían sus libros *Miércoles santo* y *La vida de Hipólito Yrigoyen*—me atrevo a asegurar que ya su personalidad literaria está definitivamente expresada en sus libros; lo estaba ya en *La Maestra,* y a pesar de que él siempre trata de renovarse, la renovación es más de forma que de fondo, ya que permanecen inmutables ciertas cualidades de concepción y de expresión. Intelectualmente Gálvez ha querido más de una vez ser considerado como escritor de vanguardia (nótense ciertas imágenes atrevidas y ciertos símbolos desconcertantes en *Miércoles santo*). Su idiosincrasia le sitúa seguramente, fatalmente, entre los escritores realistas del siglo diez y nueve. Los escritores jóvenes de su país, que más de una vez me criticaron por mis deseos de incluir a Gálvez en estos ensayos sobre la novela en Hispanoamérica, tendrán que estudiar mucho, luchar mucho, para llegar a ocupar el puesto que ocupa el autor de *La maestra normal* en las letras argentinas.

BIBLIOGRAFIA

La maestra normal, Buenos Aires, 1914, 1916.
El mal metafísico, Buenos Aires, 1916.
La sombra del convento, Buenos Aires, 1917.
Nacha Regules, Buenos Aires, 1919.
Luna de miel y otras narraciones, Buenos Aires, 1920.
La tragedia de un hombre fuerte, Buenos Aires, 1922.
Historia de arrabal, Buenos Aires, 1922.
El cántico espiritual, Buenos Aires, 1923.
La pampa y su pasión, Buenos Aires, 1926.
Una mujer muy moderna, novelas y cuentos, Buenos Aires, 1927.
Miércoles santo, Buenos Aires, 1930.
Escenas de la guerra del Paraguay:
    I. *Los caminos de la muerte,* Buenos Aires, 1928.
    II. *Humaitá,* Buenos Aires, 1929.
    III. *Jornadas de agonía,* Buenos Aires, 1929.
Escenas de la época de Rosas:
    I. *El gaucho de los Cerrillos,* Buenos Aires, 1931.
    II. *El general Quiroga,* Buenos Aires, 1932.
Cautiverio, Buenos Aires, 1935.
Hombres en soledad, Buenos Aires, 1938.
La vida de Hipólito Yrigoyen, Buenos Aires, 1939.
    Traducciones de los libros de Manuel Gálvez:

AL FRANCÉS

L'Ombre du cloître, (*La sombra del convento*).—Traductor: M. Gahisto. Editor: Albin Michel. Collection des Maîtres de la littérature étrangère. Paris, 1924.
Nacha Regules.—Traductor: Georges Pillement. Editor: La Nouvelle Société d'Edition. París, 1931.
Mercredi Saint, (*Miércoles santo*).—Traductor y prologuista: Georges Pillement. Editor: Nouvelle Librairie Française. París, 1932.
Les Chemins de la mort, (*Los caminos de la muerte*).—Traductor: Georges Pillement, prólogo de Benjamín Crémieux. Editor: Librairie Gallimard, Editions de la Nouvelle Revue Française. París, 1932.

AL INGLÉS

Nacha Regules.—Traductor: Leo Ongley. Editor: E. P. Dutton and Company, New York, 1922. (Una parte de la tirada lleva el nombre del editor de Londres, J. M. Dent and Sons).

Miércoles santo.—Traductor: W. B. Wells. Editor: Appleton-Century, New York, 1934.

AL ALEMÁN

Nacha Regules.—Traductor: Albert Haas. Editor: Gebruder Paetel und Editora Internacional. Berlín, 1922.

AL PORTUGUÉS

O mal metaphysico.—Prefacio de Claudio de Souza. Editor: Braz Lauria. Río de Janeiro, 1920.

Nacha Regules.—Graphico—Editora Monteiro Lobato. San Paulo, 1925.

Jornadas de agonía.—Traductor y prologuista: Dr. Gonzalo Moniz. Editor: Galdino Loureiro e Cía. Bahía, 1931.

AL RUSO

Nacha.—Ed.: «Petrograd». Petrograd-Moscú, 1923.

AL CHECO

Nacha.—Traductor: Em. Vajtauer. Editor: K. Boresky. Praga, 1930.

Devce Z. Jatek, (Historia de arrabal).—Traductor: E. Vajtauer. Editor: Helios. Praga, 1931.

AL ITALIANO

Nacha Regules.—Traductor: Guido Berti. Editor: Salani. Florencia.

La maestra normal.—Traductor: Gerardo Marone.

AL IDDISCH

Nacha Regules.—Traductor: J. Katz, (publicada en los folletines de «Die Presse»). Buenos Aires, 1921.

In a Forschtot, (Historia de arrabal).—Traductor: José Mendelsohn. Editor: D. Gorodisky. Buenos Aires, 1933.

Pedro Prado

Pedro Prado

(1886–   )

Pedro Prado vive, acompañado de su mujer y de sus
muchos hijos, en una espaciosa casa-quinta, en uno de los
barrios apartados de Santiago, al noroeste de la Estación
de los Ferrocarriles centrales. Vive en una casa de paz,
con muchos árboles, fuentes, una torre y viejas bodegas;
casa familiar que ha visto ya varias generaciones en su
larga vida de 250 años. Las salas de la casa son amplias,
amuebladas con gusto; muebles antiguos y cuadros modernos; libros raros y curiosos; libros por todas partes.
En esta casa hay muchas habitaciones, y en cada una de
ellas muchas ventanas para dar paso al aire que viene de
la cordillera y a la luz amiga del poeta. En la paz de la
tarde, Prado charla con sus amigos, salta el chorro de
agua de la fuente, caen algunas hojas sobre el césped, y
una diuca corta el silencio con su canto nervioso y breve.
Al anochecer, el poeta y sus amigos salen a ver la salida
de la luna, por entre las hojas de las parras, sobre las
paredes en ruinas de los patios.

Prado tiene cincuenta y seis años pero es joven todavía,
con esa larga juventud de las razas rubias. Mediano de
talla, de suaves movimientos, caviloso y decidido al mismo
tiempo, con una sonrisa constante en sus labios y en sus

puros ojos sajones. Su rostro muy movible va expresando todas las intenciones de su pensamiento, iluminado a veces en la claridad de la idea original, apretado otras por contener la risa cuando apunta detrás de él la intención satírica. Es un gran conversador, que no cansa con el espejeo de su frase, que mantiene alerta nuestra atención con la variedad de temas que baraja. Le gusta expresarse en pequeñas imágenes y parábolas. Su voz es suave y rica, con el ritmo habitual de la voz chilena, que se levanta al fin de la frase y alarga indefinidamente las últimas sílabas. Sabe conversar y sabe escuchar, pero siempre conquista a su interlocutor con la gracia de sus palabras y la curiosa hilación de sus ideas. Anda por esas calles de Dios, paso a paso, como absorto, un tanto cabizbajo, ocupado en su monólogo interior. Posee la rara cualidad de dignificar las conversaciones casuales, elevándolas a un verdadero plano de interpretaciones filosóficas.

Prado pertenece a un grupo de escritores postmodernistas, cuyo ideal era el cultivo de sus propios temperamentos. Filósofos, compositores, escultores y pintores son sus mejores amigos. En todas las artes y en la filosofía trata de enriquecer sus experiencias espirituales. Su mejor amigo fué Manuel Magallanes Moure, pintor y poeta como él. Estudiante de humanidades aún, leía a los filósofos en la biblioteca Semper; después de cursar dos años de ingeniería pudo teorizar sobre los sentidos y el arte. Las tres admiraciones de su juventud fueron: la serenidad de Manuel Magallanes; la misteriosa vida de Augusto Thomson y la seriedad ideológica de Valentín Brandau.

Detrás de la aparente serenidad de su sonrisa lleva

Pedro Prado muchas espinas. Nunca satisfecho de su obra, siempre ensaya nuevas formas y nuevos temas. Es un revolucionario. En *Flores de cardo, Alsino, Un juez rural, Androvar,* se revela su temperamento inquieto e inadaptado. Destruye en todos estos libros los valores aceptados, va de frente contra la tradición estética, sociológica, filosófica. En sus libros no ha hecho otra cosa sino interpretar su propia vida, y como su vida de solitario es diferente de las otras, su literatura lleva un sello de verdadera originalidad.

Ha hecho todo su arte en silencio. En Chile se le tiene por uno de los mejores escritores modernos; en el resto de América es menos conocido que algunos de sus compañeros, más hábiles en la propaganda. Yo creo que en toda la América nadie aventaja a Pedro Prado en el manejo del estilo artístico.

Para el europeo es necesario que en toda obra americana haya un poco de bárbara violencia, concepción temática primitiva y un estilo vigoroso e incorrecto, que tenga más de martillo sobre yunque que de cincel en la rosada carne de la estatua. Al europeo que ha tenido su Goethe, su Keats, su Stendhal, su Proust, su Mallarmé, le gustaría oír voces nuevas de un nuevo continente, expresión más espontánea, de reacciones vitales inmediatas, una especie de regocijo epidérmico causado por el paisaje, fresco como en la primera mañana del mundo. Para los vagos ensueños, las complicadas intrigas psicológicas, persecución de elementales emociones, rasgos de sutileza y bien decir, búsqueda de lo subconsciente, tienen ellos bastante con sus propios escritores. Ahora, en un escenario bárbaro

y exótico, querrían hallar siempre al centauro, la heca-
tombe, el alarido, en formas desconcertantes.

Y en esta ignorancia de las condiciones culturales de
nuestro continente encuentran ellos su castigo, que a veces
no es tal. Porque, por un Sarmiento, rudo, libérrimo, ins-
tintivo que encuentren en su camino, les solicitan su interés un Herrera y Reissig, un Rodó, un Rubén Darío,
productos naturales de la más complicada cultura artística de Europa. Para hablar con justicia acerca de la
literatura de Hispanoamérica hay que conocer el medio
ambiente; exigir que ciudades tan europeizadas como
Montevideo, Buenos Aires o Santiago de Chile, produzcan
obras que posean la ingenua violencia de *Emperor Jones,*
sería traicionar todo sentido de realidad, como lo hicieron
antaño O. Henry y hogaño Pierre Benoit. En cambio, es
perfectamente lógico que los poetas de estas ciudades
capitales se expresen como cualquier bardo de París, Londres, o Berlín. La literatura que se refiere a la vida del
campo es, por supuesto, enteramente distinta, con un
fuerte sabor regional inconfundible, y como existe en
grandes cantidades, nuestra América la usa para el con-
sumo interno y para la exportación.

Explicado lo anterior, no debe llamar la atención el
hecho de que la América española haya dado al mundo
de habla hispana un nuevo movimiento literario de carácter cosmopolita, llamado, a falta de palabra mejor,
modernismo. Tendencia renovadora fué ésta, en prosa y
verso, más eficaz en la forma que en los temas, en la forma
exquisita, preciosa, rica en colorido, en ritmo, superabun-
dante de vocablos poéticos. Antiséptico del romanticismo,

la nueva escuela traía sus propios microbios que la iban
a destruir en el segundo o tercer lustro del siglo presente,
para dar paso triunfal al anárquico grupo de escritores
contemporáneos.

Como la fuerza mayor del modernismo radicaba en su
estilo, los primeros escritores rebeldes—modernistas también a su manera—desdeñan el uso de las palabras poéti-
cas y buscan en el sentido oculto de las cosas y en símbolos
pequeños lo que no les pudo dar el modernismo en su
decoración aristocrática. Por huir de una fórmula caen en
otra, lo que no hace sino justificar el hermoso símbolo de
González Martínez, cuando canta a los poetas del futuro:

> Y ante la eterna sombra que surge y se retira,
> recogerán del polvo la abandonada lira
> y cantarán con ella nuestra misma canción.

Dadas sus altas prendas de renovador y de original, nos
atrevemos a decir que Pedro Prado es el mejor estilista
chileno de todos los tiempos y uno de los primeros de
América.

Prado comenzó en 1908 su vida literaria con un libro
de versos. En esta obra primicial está el germen de su
labor futura. El nombre mismo, *Flores de cardo,* es el
reto lírico del poeta a quienes sólo se preocupaban en esos
días de nelumbos, rosas, jazmines, orquídeas, lotos. Su
mirada no se detiene, como es el caso en los modernistas,
en el color, la forma, la apariencia estética de las cosas,
sino que trata de penetrar sus ocultos designios. Otra
vez parece seguir el pensamiento de González Martínez:
«busca en todas las cosas el oculto sentido». Y así en las
parras, en las humildes parras, ve él «un alma en su rí-

gida silueta atormentada»; mirando el fruto del trigo y de las rosas, su sentido filosófico le lleva al valor humano universal:

> No pidáis
> que den todos un fruto igual,
> que todos, todos frutos dan;
> pero algunos dan flores
> y otros dan pan.

A las manos de la mujer amada dirá:

> Previsoras sin que os rinda la fatiga
> sois las hormiguitas de la vida.

Versolibrista convencido, prefiere la imagen y el símbolo al ruido monótono de la rima y al rítmico vaivén de los acentos obligados. Abandonando esas palabras del modernismo, prestigiadas por su valor intrínseco y desprestigiadas por el mucho uso, busca otras, olvidadas acaso, humildes también, pero de un encanto irresistible:

> Manecillas breves
> con florecillas de azul entre la nieve,
> y con menudos dedos
> que en sonrosadas uñas se florecen.

Un alto sentido de novedad le orienta y no duda en sacrificar una fácil popularidad para obtener una expresión original. La crítica patoja le salió al frente con aquello de que «no se sabe si es verso o prosa» y el poeta se dió por satisfecho con haber roto con la tradición. Su estilo nace espontáneo de su pensamiento, y siempre quiere ir más lejos, como las hojas del árbol, que nada saben de las raíces que lo sustentan.

En *La casa abandonada*, libro de parábolas y ensayos,

está otra vez toda la personalidad artística de Pedro
Prado. Por aquí empezaremos a coger ciertos reflejos de
su manera de hacer siempre cambiante. Parábolas, ha
dicho él mismo, sabedor de que, debajo de las palabras
claras y frescas, ha puesto lo mejor, el pensamiento filosófico. Producto de una serena meditación, de un ansia
de saber consciente de sus propios límites, de ese aden-
trarse en las cosas desconocidas, tanteando sus raíces,
son estas páginas. O con sus propias palabras: «recuerda
que tienes que juzgarlo todo; así verás en ello una necesidad de tu alma atribulada, no un juicio cierto sobre las
cosas de la vida». Necesidad de su alma, entonces, en su
roce con el infinito, sin la actitud dogmática de la filosofía.
En la vieja casa abandonada sus ojos minuciosos irán de
las arañas a los grillos, de los caracoles a los pájaros, para
detenerse por fin en los vilanos y ver en ellos las verdades
más altas:

—Las nubes y los vilanos denunciamos a los vientos altos, que
sólo en nosotros los perciben los ojos.
—Extraña ocupación.
—¿Pequeña os parece? Hay muchos que sólo viven para indi-
car el paso de las cosas invisibles.

Inquietudes informes que nos turban en el cotidiano
vivir se objetivan en su conciencia y salen a luz en pensamientos precisos y nítidos. Así el filósofo o el poeta, olvidados de su realidad humana al penetrar en el mundo de
lo abstracto, serán como el remanso de un estero:

El agua, al contemplar el cielo profundo, las estrellas ra-
diantes, las barrancas de su cauce, se había tornado cada vez
más inmóvil y maravillada. Poco a poco la atención absoluta de

su ser transparente hizo que la esencia de su cuerpo y de su vide se transformase, en fuerza de meditación, en un mundo semejante al que era objeto de su pensamiento.

En el concierto de las cosas, íntimamente unidas por oculta trabazón, los ojos ciegos de los hombres no pueden distinguir las relaciones y creen que los hechos aislados pueden existir independientemente. El poeta, que posee la harmonía del mundo, ha tenido la intuición de las causas primeras, y en la perfecta arquitectura del gran todo no se detiene a limitar ni a definir las partes. De aquí esa hermosa parábola, digna de la más selecta antología, que se titula *Donde comienza a florecer la rosa:*

El viejo jardinero poseía una infinita variedad de rosas. Haciendo el papel de los abejorros llevaba el polen de una flor a otra, efectuando el cruzamiento entre los ejemplares más diversos. De esta manera, obtenía nuevas y nuevas variedades que amaba con verdadera pasión, y que despertaban la envidia de los que no sabían imitar a los abejorros.

Como nunca regalaba una flor, adquirió fama de hombre egoísta y malo. Una hermosa señora que fué a visitarlo, volvió asimismo con las manos vacías, repitiendo las palabras que le dijera el jardinero. Desde entonces, además, de egoísta y malo, le tuvieron por loco y nadie volvió a ocuparse de él.

«—¡Es Ud. tan bella, señora—le había dicho el jardinero— que le regalaría gustoso todas las rosas de mi jardín; pero, a pesar de mis años, aun no sé donde comienza una rosa a ser rosa, para cortar justamente allí y separar una flor entera y viva. Se ríe Ud. de mí ¡oh— no se ría, se lo ruego!»

Y el viejo jardinero llevó a la bella señora ante el rosal que florecía la variedad más extraña: un capullo encarnado, como un corazón abandonado, entre las espinas.

—«Vea Ud., señora, decía el jardinero—y sus dedos viejos y sabios acariciaban la flor—yo he seguido el curso del florecimiento de la rosa. Estos pétalos rojos salen del cáliz como las llamas de una hoguera pequeñita. ¿Y es posible separar una llama y conservarla ardiendo? El cáliz se adelgaza y se funde insensiblemente en el largo pedúnculo, y éste, a su vez, penetra en la rama, sin que nadie pueda precisar cuando termina el uno y comienza la otra. He visto que el tronco empalidece poco a poco al internarse en el suelo, y que las raíces están unidas a la tierra, por el agua que sube. ¿Cómo separar una rosa y regalarla si no sé donde ella comienza? Regalaría una corola desprendida violentamente, y Ud. sabe, señora, cuán poco viven las cosas mutiladas».

«Cuando llega octubre y observo que los capullos hinchados se abren, yo, que he tratado de saber donde comienza a florecer la rosa, nunca me atrevo a decir: mis rosales florecen; siempre exclamo: ¡la tierra está florida! ¡Bendita sea!».

«Cuando joven, yo era rico, fuerte, hermoso y bueno. Cuatro mujeres me amaron en aquella época».

«La primera amaba mi riqueza. En manos de aquella mujer desenfrenada, se desvaneció rápidamente mi fortuna».

«La segunda amaba mi fuerza. Me hizo luchar y vencer a mis rivales, y en seguida agotó mis energías con sus caricias».

«La tercera amaba mi belleza. No cesaba de besarme, prodigándome los dictados más lisonjeros. Terminó mi belleza con la juventud e igualmente el amor de esa mujer».

«La cuarta amaba mi bondad y se valió de ella en su propio beneficio. Conocí, por fin, su hipocresía, y la abandoné».

«En aquella época, señora, era yo un rosal que tenía cuatro rosas. Cuatro mujeres cortaron cada cual la suya. Pero si el rosal alcanza cien primaveras, la rosa alcanza una tan sólo. Fué así como aquellas pobres flores, al deshojarse, se deshojaron para siempre».

«¡Desde entonces no sale una flor de mi jardín. Y a todo el que me visita le digo: ¿Cuándo dejarás de entusiasmarte con los hechos aislados? Si eres capaz de limitar alguno, anda y corta allí donde comienza a florecer la rosa».[1]

En esta harmonía cósmica el poeta debe buscar su razón de ser, el origen de su cuerpo, las infinitas ansias

---

[1] *La casa abandonada*, Buenos Aires, 1919, págs. 34, 35.

de su espíritu; por eso, al mirarse al espejo, siente el gran vacío de la sencillez, pero al ver su rostro en la ventana que da al jardín, al ver su sombra atravesada por franjas de arena, por rosales florecidos, por astros distantes, cree entender «el origen de nuestro cuerpo y de las tendencias que llenan al espíritu humano». Los poetas comprenden estas relaciones ocultas, estas semejanzas entre las cosas, entre las cosas y los hombres; el mundo cambiante de las formas, en un continuo morir y renacer, no tiene para ellos misterios. El elemento humano existe en toda cosa; la moral no es más que una sucesión de sentimientos; el Universo es el conjunto de ideas de los filósofos. ¡Utiles y exactas observaciones éstas, que los escritores y artistas de hoy deberían leer! En este auscultar constante, el oído de Prado se ha afinado de tal modo que siente mejor que nadie la voz oculta de la tierra, el eco de la madre tierra en su corazón, que le enseña a comprender y a amar a los seres humildes y a las cosas. El poeta, divino intérprete de designios secretos, se llena de la majestad de la tierra, y su voz adquiere el timbre grave que debió tener la voz de los profetas.

Pedro Prado posee en abundancia ese don primordial de distinguir la belleza humilde y escondida, el interés de lo pequeño que los ojos de los demás hombres no han notado, ya sea en el vuelo de la abeja o en la trémula danza de la hoja. En su admirable parábola del *Viajero*, nos explica su manera de ver. El viajero, siempre en busca de novedad, ha visto todos los países, y está triste. Pero cae enfermo y tiene que contentarse con el mundo pequeño de su jardín. Aprende los nombres de los árboles y de los insectos y siente una profunda alegría en estos viajes. Se da cuenta de que el placer de viajar por el mundo o de viajar por el jardín de su casa estaba relacionado con la potencia de su visión. Y como nuestro concepto del mundo es sólo un sueño, el alma del viajero volaba libremente en el espacio sin fin del microcosmos.

En *El llamado del mundo* continúa Prado su teoría de versolibrista. Filosóficos motivos quitan cierta espontaneidad a sus primeras visiones de belleza. Con todo, continúa el esfuerzo de noble independencia y de originalidad. En *Los pájaros errantes,* le dominan nuevamente el ímpetu del vuelo, la nostalgia del cielo alto, la atracción de las nubes fugaces. Bajo la forma breve, alada, siempre está el pensamiento que deja huella. Una prudente cantidad de misterio y de vaga melancolía exaltan el sentido de estos poemas en prosa. Dice en *Los pájaros errantes* el gran poder unificador del canto, su influjo concretador en el espíritu de los hombres. En los mares del sur de Chile, el poeta está entre pescadores: «Trabajábamos callados, porque la tarde entraba en nosotros y en el agua entumecida. Y las velas turgentes de la balandra eran como las alas de un ave grande y tranquila que cruzara, sin ruido, el rojo crepúsculo. Yo estaba con los taciturnos pescadores que vagan en la noche y velan el sueño de los mares».

De pronto, alguien descubre una bandada de pájaros; en grandes números se acercan y pasan sobre el barco; pasan cantando. Pero he aquí que llega la noche y todo se cubre de sombras. Y el poeta tiembla por esos seres que irán como las hojas a merced del viento.

«Mas no; la noche, que hace de todas las cosas una informe obscuridad, nada podía sobre ellos. Los pájaros incansables volaban cantando, y si el vuelo los llevaba lejos, el canto los mantenía unidos. Durante toda la fría y larga noche del otoño pasó la banda inagotable de las aves del mar. En tanto, en la balandra, como pájaros extraviados, los corazones de los pescadores aleteaban de inquietud y de deseo. Inconsciente, tembloroso, llevado por la fiebre y seguro de mi deber para con mis taciturnos compañeros, de pie sobre la borda, uní mi voz al coro de los pájaros errantes».

Aunque el símbolo está siempre presente, hay en este libro más poesía pura que en los anteriores, emoción más directa del paisaje, menos deseo de hacer filosofía. Es un libro lírico en el cual la parábola pierde su eficacia y el sentimiento recobra su influjo, aparentemente perdido en otras obras.

Por 1915 nace la idea del grupo «Los Diez», asociación de literatos, músicos, pintores, reunidos en torno a la figura noble y sonriente de Pedro Prado; reunidos en su gran casa-quinta, «esa vieja casa de adobes, circundada por árboles silenciosos y con una torre que se eleva sobre las bodegas abandonadas». La sociedad de «Los Diez»: «celebró una velada solemne, enigmática, hizo una exposición de pintura con cuadros de Prado, Magallanes y Alberto Ried; fundó una revista, lanzó buenas ediciones de libros nacionales, cultivando al mismo tiempo, con ánimo alegre, cierta mistificación irónicamente trascendental. Los «Diez» tenían su rito de iniciación y consiguieron crear una atmósfera mística en torno suyo. Hablóse

de que habitarían una torre junto al mar, y como entre
los hermanos había arquitectos, pintores y músicos, se
leventaron planos fantásticos, se dibujaron decoraciones
y se cantó al son de campanas que todavía no existían.
Un propietario de terrenos en la costa creyó que estos
vecinos le traerían buen nombre y les cedió una extensión
con rocas imponentes, invitándoles a edificar allí la célebre torre. La Cofradía de los «Diez» se trasladó en corpo-
ración al sitio; hablaron del espíritu que los animaba,
tuvieron una fiesta y fijaron el sitio preciso de su futura
existencia en común. Pero hacia la tarde uno de ellos, mirando el punto en que la torre se elevaría, murmuró:

—¿Y estará ahí? ¿Nada más que ahí, en ese pedazo del vasto
mundo? ¿No se podrá mover, no podrá salir nunca mar adentro, nunca, por los siglos de los siglos? ¡Qué aburrido!»[2]

En la hermosa casa-quinta del poeta se verificaron estas
reuniones; se discutía mucho de arte y de filosofía, cami-
naban los amigos a la luz de la luna, entretenidos en sa-
brosas conversaciones, llegaban a la vieja torre, al huerto,
volvían al jardín, música del agua de la fuente, de brisa
en los grandes árboles, largos silencios. El principio in-
quebrantable de estos artistas era la pureza en el arte y
su cláusula principal la humildad heroica. Fuerza, entusiasmo y juventud y, por encima de todo, el milagro
del ideal. Pero la cofradía—Prado, Bertrand, Francisco
González, Cruchaga, Leng, Cotapos, Ernesto Guzmán,
Magallanes, Ried, Donoso—después de discutir muchos
proyectos, de escribir bellos versos, bella prosa y bella
música, después de pintar cuadros de nueva técnica y

---

[2] Alone [pseud.], *Panorama de la literatura chilena durante el siglo XX*,
Santiago, 1931.

abrir exposiciones, de publicar artísticas ediciones de literatura, duró sólo de mil novecientos quince a mil novecientos diez y seis, y se dispersó, cada artista orientado por propios caminos, llevados todos por su vigorosa personalidad. Pedro Prado, siempre renovándose, escribió su libro *Los Diez*, aprovechando los pocos momentos libres, en un tranvía. Atento a su mundo interior, sus pensamientos avanzan por los mismos cauces, preocupado siempre de las formas cambiantes de la vida, de la transubstanciación de la materia. En su *Oración del hermano arquitecto*, prisma maravilloso para la vida del artista, adquiere positiva grandeza.

Más tarde, en sus *Ensayos sobre arquitectura y poesía*, ensayará una curiosa explicación a posteriori de sus versos, dejando, junto a serios principios de estética, afirmaciones paradógicas, de más valor como flores de sutileza que como verdades.

La primera novela de Prado es *La reina de Rapa Nui*, cuyo escenario es la Isla de Pascua, posesión chilena abandonada cerca de Oceanía. Su realismo es tan convincente que ha engañado a sus amigos más cercanos. Gabriela Mistral dice en un artículo aparecido en «La Nación» de Buenos Aires: «Alguna vez alcanzó hasta la Isla de Pascua, pasión de arqueólogos y de novelistas y que, geográficamente, es de la Oceanía y, por una casualidad pintoresca, chilena. Este viaje le dió uno de sus libros mejores en *La reina de Rapa Nui*, relato de estilo forjado y de un exótico exento de las falsedades».[3] Pues bien, Prado no ha estado nunca en la Isla de Pascua y la novela

---

[3] Domingo 12 de junio de 1932.

es el resultado de un gran entusiasmo geográfico y de una poderosa imaginación. Su método consiste en la construcción fantástica sobre el dato histórico, para lo cual tuvo que documentarse ampliamente en el *Anuario hidrográfico chileno.*

La reina de Rapa Nui es el diario de un hombre raro y solitario que, como todo buen chileno, siente la pasión profunda del mar. Como redactor de «El Heraldo» de Valparaíso decide visitar la lejana isla. Poco después de su llegada conoce a los únicos hombres civilizados de Pascua, Adams y Bornier. Un día es presentado a la Reina de Rapa Nui, Coemata Etú:

> El día anterior el danés me había presentado a la soberana de Rapa Nui. Era una mujercita menuda y graciosa y tan pequeña que parecía una niña de diez años. Su nombre, Coemata Etú, quería decir Estrella en los ojos.

En seguida nos presenta a Inú, el guerrero de la isla. Describe una reunión nocturna de isleños en que se da cuenta a la reina de las novedades del día; después de la asamblea hay danzas y canciones en la playa. Por este tiempo hay una gran escasez de agua en Pascua; el único lugar donde el precioso elemento no se agota es en la poza de los sapos, pero desgraciadamente es agua venenosa. Luego intercala varios relatos en la novela. Conocemos la historia de Tukuihu, antepasado de Coemata Etú, primer habitante de la isla. Nos informa acerca de la vida de Bornier, el primer colono de Pascua, sus luchas en contra de los misioneros, su alianza con la reina. Bornier, después de enamorar a la reina y preparar la guerra civil en la isla, se adueña de todo. Acusaba a los misioneros de entristecer la vida. Desfila por estas páginas la figura del sabio Coturhe Uruiri; escuchamos sus bellas palabras sobre la tristeza del amor en la isla y su trágica predicción de que todos los habitantes han de morir de sed. Un día el sabio se suicida. Asistimos al raro funeral, en que todos cantan para despedir alegremente al hombre que escogió la muerte por su propia voluntad; al que muere contra su voluntad se le llora, pero al que ejerce su libre albedrío se le canta en esa tierra extraña. Se cumple por fin la profecía del sabio; muchos mueren de sed y la pobre reina, envenenada, después de beber el agua de la poza de los sapos. Termina por darnos la jocunda descripción de la llegada de la lluvia y los preparativos del retorno.

La narración es de una perfecta sencillez. La levedad poética del estilo y la sutileza de los conceptos dan un encanto especial a esta obra. Los personajes tienen una cantidad suficiente de misterio y de vaguedad para ser grabados en nuestra imaginación como personajes de ensueño. El paisaje de la isla está descrito con la pericia artística del autor de *Flores de cardo:*

> Con el alba comenzaba la peregrinación a las alturas y aún en las noches, llenas de presado silencio, se veía sobre el cráter algunas pequeñas siluetas que contemplaban el casco de la luna nueva. Lentamente descendía la inmensa brasa roja y al ras de las olas su contorno deshecho lanzaba el último reflejo de los barcos incendiados al desaparecer entre las aguas obscuras.

La reina de Rapa Nui, obra integrada por una serie de relatos, no es propiamente una novela, sino un cuento largo, una especie de ensayo de psicología y de interpretación estética de los pascuences. Un escritor menos artista nos habría dado fotográficas visiones de la isla; Prado prefiere interpretar, en forma simbólica, sus leyendas y sus paisajes.

Alsino, publicado en 1920, es la obra maestra de Prado. Cuatro años trabajó en ella, depurando siempre, haciendo más sencilla su expresión. Ante el revuelo de la crítica, que quería ver en *Alsino* un símbolo trascendental, o que sonreía despectiva ante la rareza de la concepción, Prado encontró su recompensa. Siempre ha desorientado este escritor a los entendidos en cosas literarias, y lo extraño es que desoriente con la suprema sencillez. Así en *Flores de cardo, El llamado del mundo, Alsino*. Y mientras algunos decían irónicamente: «¿ha visto alguien volar a un huasito?», otros se santiguaban exclamando: «¡he aquí un gran símbolo racial por el cual nuestra literatura será conocida en todas partes!». ¡Vanas exageraciones! *Alsino* es una bella obra, una de las más bellas concebidas en nuestro continente, pero en tono menor, de grandeza limitada, cuento infantil transformado en la mente de un escritor que ha vivido mucho y ha meditado más, y que ya no puede encerrarse en el pequeño círculo que solicita la ingenuidad y la poca experiencia de los niños. La trama de *Alsino* es por demás sencilla. Se trata de un muchachito campesino que desea volar, para lo cual se arroja desde la copa de un árbol. Con el feroz golpe que se da queda jorobado. Mientras su abuela y su hermano Poli están ausentes, Alsino se escapa de la choza y sale a andar sin rumbo. Se encuentra con un viejo, cazador de tordos y vive a su lado por algún tiempo. Las puntas salientes de su joroba empiezan a crecer y pronto se convierten en alas. Otra vez de viaje se topa en un camino con unos muchachos y un carretero, que le insultan y le dan de golpes. Alsino, al tratar de defenderse, se saca su poncho y queda desnudo con sus alas agitadas de ira. Huyen los muchachos y el carretero,

> En su persecución fué Alsino corriendo y agitando sus alas. Pero como se mantuviera en un gran salto continuado, notó, de pronto, que sus pies no tocaban tierra. De trecho en trecho, breves, fueron repitiéndose sus primeros vuelos.[4]

En las noches frías Alsino se refugia en las chozas abandonadas y en las grutas. Aprende las voces de las hojas, de las aguas y el viento, de los animales de los pueblos, de los pájaros y de las fieras. La embriaguez del vuelo y la belleza del mundo le impulsan a cantar:

> Cantemos ¡oh! voces ¡oh! sentimientos ¡oh! deseos incomprensibles; ayudadme todos y cantemos a la vez, al compás de las alas y del aire que van haciendo melodioso; cantemos esta necesidad de volar y volar![5]

Y Alsino vuela, desnudo ya de humanas vestimentas, vuela ante el azoramiento de animales y gente campesina. Una vez encuentra en un árido cerro a un anacoreta que, al creerle emisario de Dios, se confiesa ante él. Una mañana de primavera, ebrio de libertad y de vuelo, cabalga sobre un potro en la pradera; el animal, enloquecido, se arroja al mar. En el verano silencioso Alsino viola, en un paraje solitario, a una joven que se estaba bañando. Una noche vuelve a la choza de sus padres. Encuentra a la abuela moribunda; la vieja muere creyendo que Al-

---

[4] *Alsino*, seg. ed., Santiago, 1928, pág. 63.   [5] *Ibid.*, pág. 85.

sino es ángel. Con las noticias que circulan acerca de Alsino, cunde el terror por los campos; aguijoneado por el hambre desciende Alsino una noche a una casa de campo a robar unas gallinas y es tomado prisionero por unos policías ebrios. Le conducen al cuartel de policía y desde allí a la hacienda de Vega de Reinoso. Don Javier, el dueño de ese campo, concibe el proyecto de exhibir a Alsino para pagar sus muchas deudas. Abigail, hija de don Javier, comienza a enamorarse del jorobadito. Viene un año triste en que se secan los árboles, se pierden las cosechas y se mueren los ganados. Abigail enferma en el otoño y Alsino le cuenta una vez sus aventuras y la abanica con sus alas mutiladas. Muere Abigail y Alsino desesperado huye de la hacienda. Llega a la choza del leonero, en plena cordillera. Allí viven: el dueño de la casa, enfermo desde hace ya mucho tiempo; Cotoipa, su hijo y Rosa y Etelvina, las dos hijas. Rosa se enamora de Alsino y, al no ser correspondida por el joven, va un día a casa de la curandera a rogarle le prepare un sortilegio. Al verter esa noche el filtro de amor en los ojos del jorobadito éste queda ciego. Alsino vuela llevando a Cotoipa en sus brazos; el muchacho, muerto de miedo, coge una de sus alas. Caen al fondo de una quebrada; Cotoipa huye y deja a Alsino abandonado. Allí, herido, oye la voz de los pájaros, los árboles y la vertiente. El zorro viene a lamerle las heridas y una vieja tenca le hace compañía; las tijeritas traen flores, las tórtolas lloran, el martín pescador trae pejerreyes, el tiuque, tiras de charqui, el zorzal, unas uvas doradas. Y tarde por la noche, cuando Alsino no puede dormir del dolor de sus heridas, las torcazas, maternalmente, le arrullan en su desvelo. Insectos, pájaros y animales no pueden detener el mal de Alsino que, quemado por la fiebre, vaga por la quebrada; en su profunda soledad y en su gran tristeza halla a Dios; en el crepúsculo abre sus grandes alas y, fuera de la realidad, cree que todo es un sueño; en el ahogo de la altura aprieta las alas entre sus brazos y cae vertiginosamente; se encienden sus alas y el fuego le consume.

Una legua antes de llegar a la tierra, de Alsino no quedaba sino ceniza impalpable. Falta de peso para seguir cayendo, como un jirón de niebla, flotó sin rumbo hasta la madrugada. Las brisas del amanecer se encargaron de dispersarlas. Cayeron al fin, sí, pero el soplo más sutil la volvía a elevar. Deshechas hasta lo imponderable, hace ya largo tiempo que han quedado, para siempre, fundidas en el aire invisible y vagabundo.[6]

Con un argumento de tal ingenuidad y sencillez es muy fácil caer en el ridículo. Pero Prado, siempre artista y filósofo, logra salvar a esta narración de la superficialidad del cuento infantil. Dando por sentado, entonces, que *Alsino* tuvo su origen en los relatos a sus hijos, en las tranquilas veladas familiares, reconstruimos su técnica.

Un día cualquiera los hijos de Prado ven, cerca de su casa, a un muchachito que lleva una enorme joroba cubierta con su manta. Los niños, curiosos e inquietos, preguntan al padre: «¿qué tiene el chico?». El padre, para ahorrarse explicaciones dolorosas, exclama: «tiene alas». Pero, ya encendida, la imaginación infantil no puede detenerse y esa misma noche empiezan las preguntas: «¿cómo le salieron alas?», «¿dónde vivía?», «¿puede volar como los pájaros?», «¿puede cantar como ellos?»,

_____
[6] *Alsino*, pág. 296.

«¿de qué se alimenta?», etc., etc. Y entonces el padre comienza a relatar esas aventuras del jorobadito, en forma sencilla, con mucho movimiento, con muchas peripecias, a razón de un relato por noche. Una vez terminado el deber paternal, sigue preocupando al escritor la figura un tanto original de su jorobadito, y en las noches insomnes, el vuelo de Alsino adquiere en su cerebro ocultos significados, y hasta simbólicas intenciones. Y empieza a trabajar.

Crea su héroe de acuerdo con la tendencia general del arte hispanoamericano, no sometido a tradición alguna; crea subjetiva y humanamente, metido en el ambiente y en el paisaje de Alsino. La base de su técnica es la intuición pura y la única norma es la que le ofrece su propia fantasía. En el paisaje encuentra, o trata de encontrar, la solución del alma de Alsino, es decir su propia alma, en esa exaltación lírica que produce la belleza del mundo, el misterio constante de las cosas. Hombre de América, Prado siente el paisaje a su manera y lo refleja en sus obras románticamente. El elemento lírico es entonces lo más importante en la novela, que se transforma así en la autobiografía espiritual del autor. Pronto, el alma del poeta y Alsino son una misma cosa. El ansia de ubicuidad que siente Prado, la tragedia cotidiana de las limitaciones constantes, forma el leitmotiv de la obra. Cuando Alsino exclama:

Pero, al igual de un sitio donde todos los caminos se cruzaran, fuí hollado, a la vez, por todas y cada una de las ansias infinitas. Cuando volaba sobre el mar, nunca me abandonó el recuerdo de la tierra; y cuando me dirigí derecho hacia tus astros, siempre me supe ligado a ella. Jamás a nada pude entregarme por completo: una de mis alas llevábame a la derecha y la otra, a la izquierda; mi peso a la tierra; y mis ojos hacia todos los ámbitos.[7]

Se pone de manifiesto el deseo del poeta de salirse de los límites del mundo empírico para vagar disuelto en un cosmos metafísico.

Guiado por la intuición, el artista busca ciertas verdades a través de la forma de las cosas y más allá del mundo tangible, atado siempre a la realidad, porque ésta no es sino un reflejo de las fuerzas espirituales. En vista de estos elementos, aparentemente inharmónicos, dice el crítico chileno R. Silva Castro:

> Hay en *Alsino* trozos de pura poesía vertida en prosa, en una prosa aérea que vuela más alto que el niño con alas, y hay también fragmentos de burda naturalidad. Parece sentir el autor cierto sadismo en hacer naufragar algunos de sus más ricos ensueños en la ciénaga de la vida vulgar. Alsino es un símbolo, no sólo en cuanto refleja la tendencia del hombre—de cierta ralea de hombres—hacia lo alto, al azul, al cielo, sino también en cuanto muestra a ese mismo hombre curvado bajo el peso del apetito o víctima de la ruda malicia, de la socarronería criolla, que Prado conoce bien y en *Alsino* revela no amar.[8]

Alsino pertenece a la vida, es el marco real en que el novelista coloca sus adivinaciones y sus tanteos, su símbolo. Habría sido más fácil hacer una narración francamente realista o un ensayo de metafísica, pero el afán de omnipresencia de Prado no habría quedado satisfecho. Ha logrado, pues, una especie de unidad estética uniendo a una descripción poética bucólica un fuerte realismo y una concepción decididamente metafísica. Como en el caso de John Keats, que vibraba íntimamente en relación

---

[7] *Alsino*, pág. 288.   [8] *Retratos literarios*, Santiago, 1932, pág. 131.

con la naturaleza, Prado se estremece ante las voces ocultas de las cosas:

> Cuanto terror y curiosa alegría me trae el saber que ya podemos entendernos. Durante largo, muy largo tiempo, todo ha sido ruido confuso para mí, mas ahora él, por fin, se aclara. Y erais vosotras, hojas; y erais vosotras, rocas, aguas y llamas; y eras tú, viento; y eran acaso todas las cosas de la tierra, y quizás del mundo, las que hacían en mí ese ruido.

Sus toques de realismo, exagerados a veces, dan a esta obra un ambiente de chilenidad extraño en el desdoblamiento simbólico del relato. En el paisaje del amanecer los ojos del novelista le detienen en el espectáculo nada poético de unos tiuques que, sobre unos bueyes, sacan las costras hechas por recientes marcas a fuego; objetivando su visión, nos mostrará una tierra rica en rulos trigueros, en viñedos, montañas y leguas de serranías, aptas para pastoreo de temporada; en la cocina de la casa de campo «negra de hollín y donde el humo y los vapores de las viandas y de la tetera que hierve velan el aire y hacen más indefinidos los rostros», hay peras que al asarse cantan, baratas que cruzan por los rincones, vaqueros, sotas y campañistas, mozos y sirvientas; allí cuelgan de las vigas enhollinadas ristras de ajos y cebollas. Por el realismo llega a la sátira, como en el caso de los periodistas que van a entrevistar a Alsimo y salen burlados, o en el retrato de esos dos yanquis que desean comprar el esqueleto del jorobadito:

> Uno de ellos, rubio y fornido, sentado en una silla puesta del revés, con sus musculosos brazos apoyados sobre el respaldo, frunciendo el ojo izquierdo para esquivar el humillo que fluía de su pipa, atenazada entre recios dientes, escuchaba inmóvil y sin

pestañear. Repantigado cómodamente en un amplio sillón, el otro yanqui, que a pesar de tener ya grises los cabellos, lucía una tez lozana y tersa, entrecruzados los dedos, sostenía con ambas manos una pierna a caballo de la otra.[9]

Abundan también los cuadros de costumbres, las descripciones concretas acompañadas siempre de una maliciosa sonrisa:

Margarita dormía en un cuartucho obscuro del piso bajo, enfrente de unos jazmineros floridos que embalsamaban todo ese rincón del patio. Al entrar y encender la vela, un piar de pollitos nuevos salió de debajo de la cama; y varios, por entre los flecos de la colcha y las frazadas caídas se asomaron curiosos.[10]

En el paisaje encuentra este libro su máxima belleza. Colores, matices, murmullos de aguas, roce de hojas desprendidas, canto de pájaros, apariencias variables de las cosas, dan a toda la descripción de Prado un doliente tono de elegía. Enemigo de las aguas fuertes, Prado da a todos sus cuadros una claridad diáfana, una suave harmonía de medias tintas. Claridades rosas reemplazan al púrpura vivo de los poetas modernistas; su color predilecto, el azul, es un azul obscuro; le atraen de preferencia las nubecillas blancas, los cielos crepusculares, las rocas grises y los valles brumosos. Se detiene con especial deleite en las cosas viejas, ruinosas, tristes: arboledas achaparradas, ranchos negruzcos, paredes carcomidas de lluvias y de vientos, fatigadas de inútiles esfuerzos, desplomándose, álamos tronchados, cauces estériles de ríos muertos, árboles sombríos, solitarias montañas. De sus mismas palabras, aun cuando no vayan limitadas por el adjetivo,

[9] *Alsino*, pág. 199.
[10] *Ibid.*, pág. 185.

se desprende una vaga melancolía campestre: lindes, heredades, lomajes, serranías, matorrales, alfilerillos, hondonadas, albañales.

El escritor americano, por herencia y por ambiente, debe ser paisajista. No por herencia española sin embargo, y de aquí se explica que en un continente de prodigiosa exuberancia de naturaleza viva, haya escritores ciegos ante el paisaje. Por siglos enteros el paisaje ha estado ausente de la literatura española, y en los autores o períodos en que ha abundado habría que ver qué parte es observación directa y cuál adaptación de modas literarias. Yo creo que la diferencia esencial entre las literaturas de España y de América estriba en el paisaje. Siendo abundantísimo en la literatura americana, ha engendrado una especie de panteísmo místico, esa sensación de misterio que se desprende del hombre en contemplación de una naturaleza demasiado imponente. No deja de ser sugerente el hecho de que el único poeta romántico español para quien la naturaleza fué una cosa viva, siempre constante en sus poemas, naciera en América, Gertrudis Gómez de Avellaneda. Y si se compara la obra de los románticos representativos de España—Espronceda, Zorrilla, Angel Saavedra, Bécquer—con los de nuestro continente—Heredia, Echeverría—se verá que la emoción del paisaje en estos últimos es mucho más intensa que en aquéllos. Ocioso sería reseñar la presencia del paisaje en la poesía hispanoamericana desde principios del siglo diez y seis hasta nuestros días y es de lamentar que algunas escuelas literarias nos hayan presentado esta gran emoción natural diluída en fórmulas fugaces de origen europeo.

El escritor chileno no puede prescindir del paisaje. Entre la cordillera y el mar se extiende la larga serpentina de nuestro territorio. Una variedad extraordinaria de flora y fauna da un carácter particular a cada una de sus zonas; desiertos innumerables, valles ubérrimos, caudalosos ríos y bosques impenetrables. A través de su larga extensión se diría que sus ciudades están plantadas como islas en el mar, y son casi siempre ciudades pequeñas, invadidas de campo.

Es probable que todo individuo sienta su paisaje más intensamente que el de otros puntos y esto explica quizá el que yo atribuya una superioridad esencial a la naturaleza chilena. En su cielo, de un azul purísimo, se han inspirado nuestros poetas; las puestas de sol en los cerros de la costa son opulentos derroches de matices; el aire de la alturas es cordial y vigorizante; los lagos del sur, cristalinos y quietos, son esmeraldas tiradas a los pies de los severos volcanes; en las islas de nuestro archipiélago toda fantasía se turba. A la recia solidez de los árboles de la zona sur, se ha agregado, en el centro del país, la gracia clara de álamos y sauces a lo largo de todos los caminos. El alma se siente recogida y suspensa en los atardeceres chilenos, en la melancolía que sube de los valles; ante la sombra misteriosa de la gran cordillera. La vista se deleita en colores y formas; el oído, con el canto del mar, de los arroyos que bajan saltando de los Andes y de la infinita variedad de trinos de pájaros; el olfato, con el aroma de los boldos, acacias, rosales silvestres, arrayanes, rudas, albahacas, mentas, poleos, hierbabuena, romeros y mil otras plantas aromáticas.

Este paisaje ha deslumbrado la visión de nuestro novelista y forma ya parte integrante de su estética. Con su paisaje y su lirismo ha hecho sus versos, sus parábolas, sus novelas. Su panteísmo místico y su intuición son las bases más sólidas de su arte maravilloso. Hay momentos en que Prado observa analítica y fríamente su paisaje y entonces sus descripciones son de una exactitud y de una verdad edificantes:

Alsino va por la orilla del mar donde las olas lanzan sus zarpazos y aprisionan el aire y brota la espuma. Sube por altas rocas grises, con pozas de agua cristalina donde cuajan los grumos deslumbrantes de la sal. Más allá de las últimas grietas del granito inclemente, defendida del viento y sólo cruzada por sombras de gaviotas que vuelan, duerme, reclinada, una playa de muertos caracoles marinos, blanco cementerio de esos silenciosos pobladores del mar, sitio preferido de invisibles corrientes submarinas.[11]

Otras veces, perdido en su emoción, se abandona a su lirismo y nos da verdaderos paisajes de maravilla:

¡Oh, luna! como se irisa el mar de nubes que me ocultan la tierra. Para los hombres ahora será noche oscura, mientras el otro costado invisible de las mismas nubes que les impiden contemplarte, se llena ¡oh, Dios mío! de esta luminosa y perdida belleza.[12]

Este paisaje está descrito a veces en hermosas imágenes o en sutiles comparaciones que le dan un encanto indefinible; al contemplar las palpitantes estrellas las ve que

pasan de una nube a otra, ocultándose como pececillos de plata enloquecidos por un trágico aviso

y ante el anochecer andino el artista ve la luz que viene

[11] *Alsino*, pág. 100.   [12] *Ibid.*, pág. 79.

de las cumbres nevadas de los Andes, luz rosa, suave e incierta,

como la primera que fluye, débil, de las lámparas encendidas al crepúsculo.

En resumen, *Alsino* es, en su origen, un cuento, o mejor una serie de aventuras acerca de un jorobadito, que la imaginación del autor ha transformado en una obra que aspira a la unidad estética. Su estilo claro, transparente, puro; la gracia de la imagen y los aspectos simbólicos colocan a esta novela entre las mejores de América, al lado de *Don Segundo Sombra, La luciérnaga, El romance de un gaucho,* y *Doña Bárbara.*

En tanto que *Alsino* es una novela poemática, *Un juez rural* podría considerarse como la novela de la vida cotidiana, gris como ésta, sin falsos oropeles. A pesar de que la novela está escrita en tercera persona, es rigurosamente autobiográfica. Prado, como todo poeta, no se sale nunca de su propia realidad. *Un juez rural* narra, con toda sencillez, unos cuantos meses de su vida, las aventuras de esos días en que desempeñó con dignidad el papel de juez de subdelegación, en una comuna rural de Santiago. Los conflictos que en este libro aparecen se desprenden del hecho siguiente: Prado, o Solaguren, que así se llama el personaje principal de la novela, no conoce las leyes penales y juzga todos los casos en conciencia; de aquí que choque a menudo con la estrecha rigidez oficial. Las engorrosas disposiciones de la ley le impiden hacer justicia inmediata, la única justicia noble; al aplicar un concepto filosófico de justicia como harmonía moral, los resultados son desastrosos; en todo ve la relatividad de

los valores y de las palabras y siempre trata de llegar a
lo esencial. Da a los litigantes altas lecciones de moral,
casi siempre perdidas en ese mundo de pícaros e ignaros.
Para hacernos ver que las palabras casi nunca revelan las
verdades exactas, que casi nunca traducen fielmente las
cosas, Solaguren nos cuenta el apólogo del caballo perdido. La policía encerró cierto caballejo que andaba va-
gando por las calles. Se presenta un individuo a recla-
marlo y da su descripción exacta; luego se presenta otro
hombre y da también una perfecta descripción del animal.
Solaguren va a ver al triste caballejo y observa que los
dos supuestos dueños han dado detalles que coinciden con
la realidad. ¿Qué hacer? Entrega el caballo al que parece
más bruto para que así muera más pronto y descanse. Pero
a los pocos momentos llega el hombre diciendo que se ha
equivocado y que ése no es su caballo. Manda entonces
que den el caballo al otro pretendiente; éste entra al co-
rral, mira al caballejo y dice que no es el suyo. Ambos
habían dado las señas exactas, pero no eran los dueños.
Varios días después aparece el verdadero dueño. Da datos
vagos, confusos y hasta falsos. Las palabras no logran
definir sus experiencias. Tiene que traer serios testigos
para que se le crea y se le entregue el animal.

Por fin un día el juez se cansa. Sufre demasiado con la
maldad y la sordidez de sus querellantes. Se convence
de que el juez, para ser completo, debería premiar el bien
al mismo tiempo que castigar el mal; así como están
constituídas las cosas es sólo la mitad ingrata y triste del
funcionario. Por otro lado, la ley basada en un concepto
individual no es justicia, pues al castigar a un culpable

se castiga a muchos inocentes. Al presentar su renuncia escribe:

Parece, señor Intendente, que nuestras leyes se basan en el concepto de individuo, y ese concepto se me hace sospechoso: un individuo que no limita ¿qué individuo es? Su cuerpo aislado nos engaña con su apariencia independiente. ¿Sobre qué base fundar la verdadera justicia? Estoy demasiado confundido; no veo cosa alguna con claridad. Me ha traído este cargo una inquietud mayor ante la vida; por su causa, ahora la comprendo menos.[13]

En *Un juez rural* hay intercalados varios relatos que sirven para completar el cuadro que originalmente concibió el autor. Solaguren hace largas caminatas acompañado del pintor Mozarena, que es en la vida real Julio Ortiz de Zárate. Los amigos conversan y pintan. Otras veces los viajes eran en compañía del malogrado poeta Manuel Magallanes Moure. Andando pueden discutir con más serenidad; observan costumbres típicas chilenas; individuos pintorescos, pueblecitos, casas abandonadas, cementerios, etc.

Se pone de manifiesto, una vez más, en este libro el vigoroso espíritu de observación del novelista en la descripción de ambientes y de tipos humanos. En los cuadros pequeños y familiares su manera de hacer se suaviza hasta alcanzar el encanto de las páginas del Azorín de la vida provinciana. Así en el episodio del niño enfermo:

Unas campanadas distantes suenan breves y argentinas; Solaguren les sonríe. Abre el postigo y ve el jardín sumido aún en la noche; pero ... no; un pajarillo oculto canta. Quédase con el rostro pegado a los cristales. Sí; ahora percibe un leve claror;

---

[13] *Un juez rural*, pág. 191.   [14] *Ibid.*, pág. 178.

viene, viene el alba! El agua en la pieza de baño deja de caer, y pasos se aproximan.[14]

Por el contrario, cuando así lo requiere la verdad del relato, su pluma no teme los toques de agrio naturalismo. En la escena del cementerio parroquial Prado se complace en darnos detalles macabros con la delectación de un Edgar Allan Poe. La pintura que nos hace de las sórdidas habitaciones del suburbio la envidiaría Baroja. En casas de barro, lechos miserables y dudosos; ancianas secas que contemplan el gatear de chiquillos mugrientos; gallinas, gatos y perros; en los sitios, aguas detenidas, verdes, cenagosas; puercos gigantescos, que no era raro encontrar por las calles, refocilándose en los charcos y aniegos perennes de acequias malolientes.

Por lo anterior puede verse la versatilidad de este autor; varía las cualidades de su estilo según el contenido ideológico. Varía también sus referencias y su ambiente. En la alta noche, en presencia del mar, Solaguren «siente el horror de su infinita pequeñez», «y, como si fuera el comienzo de un viaje a la eternidad, lanzó su caballo al abismo que allí parecía abrirse en un galope sobrenatural: un caer siempre suspendido, un vuelo entre los mundos».

Un viaje en la obscuridad de la noche campesina es para él «un viaje irreal, en las tinieblas absolutas». Ante el paisaje melodioso de Chile, a pleno día, su frase corre límpida como arroyo de agua:

Basta conocer este lugarejo apartado, basta internarse por el largo camino que sigue el mismo lecho del estero de Quiñones, cubierto de pataguas, álamos blancos y sauces de Castilla, para ir entregándose a no sé qué magia de alegre soledad y de fecundo abandono que se levanta de esas tierras pródigas.[15]

He dicho que su estilo guarda a veces similitud con el de Azorín. Ambos escritores poseen esa liviandad especial de la frase, esa transparencia por la cual se ve el pensamiento desnudo. Para los dos la forma es una especie de copa en que se agitan sus emociones y sus ideas, casi siempre del mismo cristal en Azorín; de muy variado material en Pedro Prado. Por eso en Azorín terminan por cansar sus repeticiones, sus palabras, sus imágenes, mientras que en Prado deleita su continua variedad, la riqueza de sus verbos, el matiz del adjetivo. A veces su prosa deja de ser tal para convertirse en poesía pura, como acontece muy a menudo en *Alsino*. Su *canto al mar* tiene la frescura de la mejor poesía castellana:

Del hombre retienes su espíritu. Mil veces viajeros en busca del oro o el sueño, de remotas comarcas, en naves un día gallardas, el otro deshechas por las tempestades, a tus aguas cayeron, bregaron nadando. La angustia espantosa de tu abismo y misterio, y el misterio y abismo de la muerte postrera, hicieron que miles y olvidados recuerdos llegaran volando.

Y al hundirse, con el último aliento, todos esos sueños a tus aguas por siempre quedaron mezclados.

La inversión es muy frecuente en su estilo, en especial la colocación del verbo al fin de la frase. A veces su sintaxis se vuelve tan caprichosa que se recuerda las *Soledades* de Góngora, pero es siempre una manera especial que dura poco para dejar paso a una prístina claridad.

Quedan fuera de nuestro plan de trabajo los dos últimos libros de Pedro Prado: *Karez-I-Roshan* y *Androvar*.

---

[15] *Un juez rural*, pág. 103.

El primero es un libro de poemas en prosa, escrito en colaboración con el escritor mexicano Antonio Castro Leal; es una superchería literaria. La obra está prologada por Paulina Orth, quien hace además la biografía del poeta y la traducción. Se supone que Karez-I-Roshan es un poeta persa. Como por esos días estaba de moda el estilo de Tagore, Prado y Castro Leal decidieron hacer algo parecido y atribuirlo después a un raro y desconocido poeta oriental. Prado explica el origen y fortunas del libro:

Había notado yo que mucho de lo publicado por la firma de Tagore no era cosa que no estuviera al alcance nuestro. Sin ningún asomo de orgullo creía que las muchas cosas mías podían resistir cualquiera comparación; pero eso dicho por mí era trivial, y sorprendente dicho por Tagore u otro por el estilo. Y para probarles a todos lo que puede la sugestión del nombre, separé, no lo mejor de mi obra inédita, sino precisamente aquello que me tenía más descontento, y lo hice publicar en un tomito, como la obra de un genial poeta del Aftganistán, Karez-I-Roshan. Para completar la farsa presenté el librito como editado en Montevideo por una biblioteca Ormuz, que tampoco existe. La traductora, Paulina Orth, menos ha existido nunca. En cambio, existe el original del retrato publicado en las primeras páginas: es un viejo pollero de luengas barbas, Naranjo de apellido, que envuelto en una carpeta de mesa-comedor hizo a maravillas la figura de un gran poeta persa. Me faltaba el prólogo, para dar noticias fidedignas del gran escritor afgano creado por mi imaginación: lo hizo en forma admirable un joven escritor extranjero, ahora en Chile, y cuyo nombre no quiero revelar.

La edición fué vendida en muy poco tiempo y a buen precio. Agrega Prado que ese fué el único libro suyo con el cual hizo negocio. De todas partes recibió Prado cartas elogiosas como contestación a los ejemplares que envió adjuntando una tarjeta de luto que decía: «Paulina Orth, profesora de idiomas, Montevideo». El crítico norteamericano, Tomás Walsh, se felicitaba de que existiera un digno sucesor de Omar Khayyam. Hubo proyectos de traducción al inglés; algunos fragmentos del libro fueron incluídos en textos escolares, y cuando Prado declaró a un grupo de amigos que él podía escribir cosas mejores todos se burlaron de él.

Androvar es un poema dramático de gran intensidad y exquisita belleza. Como en todas sus obras Prado expone aquí la tragedia de los límites humanos, el anhelo terrible de la omnipresencia. El maestro, Androvar, siente el deseo de ser con su discípulo, Gadel, uno en dos, es decir una conciencia en dos cuerpos. El hombre, en su soledad, quiere ser uno con el amigo. Jesucristo hace el milagro. La mujer de Androvar se enamora de Gadel y naturalmente Androvar asiste como actor y como espectador a esta tragedia. Luego Androvar pide fundirse en su mujer, vencer los estrechos límites humanos. Se confunden las almas de los tres y cuando Gadel muere, Androvar y su mujer quedan vivos, pero atados a la muerte, dueños de revelaciones que no podrán expresar nunca a los mortales.

Terminada la lectura de las obras de Prado, el lector se pregunta qué influencias han actuado en la formación de la personalidad literaria de este escritor. Imposible sería señalar ascendientes directos, sobre todo en lo puramente literario. Vagas reminiscencias gongorísticas definen a veces su sintaxis, pero su estilo simbólico y diáfano se ha formado al amparo de sus lecturas filosóficas. De Platón tiene la sutileza y el idealismo que bucea más allá de la

realidad; del nuevo testamento ha sacado sus formas pa-
rabólicas y agrestes; de Descartes su admirable método
para guiar su pensamiento por horizontes metafísicos; de
Goethe la desesperación ante los límites humanos; del
relativismo el dolor de los valores transitorios; de Bergson esa filosofía intuitiva que vino a liberar nuestro temperamento, que vino a poner una suave vaguedad sobre
los vértices demasiado fríos del mundo empírico. Algo ha
aprendido de todos ellos Pedro Prado, pero a ninguno
imita, sabedor de que el supremo deber del artista es observar, meditar, y luego enhebrar todos sus sueños y experiencias en el hilo de oro de su propio yo.

Indices:

I. DE AUTORES
II. DE OBRAS

INDICE DE AUTORES

«Alone» (Díaz Arrieta, Hernán), 56, 57, 175
Altamirano, Ignacio Manuel, 61
Andersen, Hans Christian, 100
«Andrenio» (Gómez de Baquero, Eduardo), 96, 118
Annunzio, Gabriele d', 24, 86
Aranha, Graça, 112
Arenales, Ricardo, 17
Arévalo Martínez, Rafael, 1–18
Arguedas, Alcides, 112
«Azorín» (Martínez Ruiz, José), 28, 109, 116, 192, 194
Azuela, Mariano, 76, 94, 112

Babbitt, Irving, 145
Balzac, Honoré de, 112, 148
Banville, Théodore de, 64
Barbey d'Aurevilly, Jules, 7
Baroja, Pío, 100, 115, 116, 118, 122, 123, 129, 193
Barrios, Eduardo, 19–58, 76, 93
Bartrina, Joaquín María de, 92
Bécquer, Gustavo Adolfo, 187
Bello, Andrés, 65, 92
Benoît, Pierre, 166
Bergson, Henri, 128, 197
Berthelot, Marcel, 128
Bertrand, Julio, 175
Blanco Fombona, Rufino, 64
Blasco Ibáñez, Vicente, 92, 93, 100, 102, 109, 132
Bloy, Léon, 142
Bourget, Paul, 24, 64, 100, 142
Braéme, Carlota, 24
Brandau, Valentín, 164
Bunge, Carlos Octavio, 103

«Caballero, Fernán» (Cecilia Böhl de Faber), 62, 149
Cabero, Alberto, 105
Candioti, Alberto, 113
Castro Leal, Antonio, 195

Coll, Pedro Emilio, 64, 65
Contreras, Francisco, 100
Cotapos, Acario, 175
Crémieux, Benjamin, 158
Cruchaga, Angel, 175
Chateaubriand, François Auguste René, vicomte de, 22, 43, 113
Chocano, José Santos, 17

Darío, Rubén, 17, 62, 85, 112, 166
Daudet, Alphonse, 141
Debussy, Claude, 128
Descartes, René, 197
Díaz Rodríguez, Manuel, 59–88
Dickens, Charles, 141
Domínici, Pedro César, 64, 65
Donoso, Armando, 34, 175
Dostoievski, Fedor Mikhailovich, 66, 143, 150
Doumerc, Jacques, 87
Doyle, Sir Arthur Conan, 100
Dumas, Alexandre, 100

Eça de Queiroz, 100, 142
Echeverría, Esteban, 187
Edwards Bello, Joaquín, 76, 89–133
Espronceda, José de, 22, 187

Fernández de Lizardi, José Joaquín, 61
Fernández y González, Manuel, 62
Flaubert, Gustave, 24, 30, 37, 43, 63, 64, 69, 142, 156
Fortoul, José Gil, 64
Foscolo, Ugo, 43
«France, Anatole» (Thibault, Jacques Anatole), 112
Francisco de Asís, San, 17, 44, 45
Gallegos, Rómulo, 65, 76, 112
Gálvez, Manuel, 34, 69, 76, 135–160
Gana, Federico, 57
Garrido Merino, Edgardo, 113
Ghil, René, 78

Gide, André, 127, 139
Giusti, Roberto, 153
Godoy, Armand, 114
Goethe,JohannWolfgang,43,165,197
Gómez Carrillo, Enrique, 128
Gómez de Avellaneda, Gertrudis, 114, 187
Gómez de la Serna, Ramón, 131
Goncourt, Edmond y Jules de, 142
Góngora, Luis de, 194
González, Francisco, 175
González Martínez, Enrique, 167
González Prada, Manuel, 62
González Vera, J. S., 57
«Gorki, Maximo» (Aleksiei Maksimovich Pieshkov), 154
Granada, Fray Luis de, 56, 155
Güiraldes, Ricardo, 94, 112, 132, 146
Gutiérrez Nájera, Manuel, 62
Guzmán, Ernesto, 175

«Halmar, D'» (Thompson, Augusto), 93, 164
«Henry, O.» (Porter, William Sydney), 166
Heredia, José María de, 61, 187
Hérédia, J. M. de, 114
Herrera y Reissig, Julio, 166
Huxley, Aldous, 139

Ingenieros, José, 9
Isaacs, Jorge, 44, 111, 152

Joyce, James, 108

Kahn, Gustave, 78
Keats, John, 165, 184
Kempis, Tomás a, 56

Lamartine, Alphonse de, 43
Larra, Mariano José de, 98, 108, 126
Latorre, Mariano, 57, 93
Lawrence, D. H., 108
Leng, Alfonso, 175
León, Fray Luis de, 56
León, Ricardo, 116, 155

Leumann, C. A., 94
Lewis, Sinclair, 156
Lombroso, César, 9
Lorrain, Jean, 17
Lugones, Leopoldo, 139
Luisi, Luisa, 54
Lynch, Benito, 146

Madariaga, Salvador de, 123
Maeterlinck, Maurice, 82
Magallanes Moure, Manuel, 164, 192
Mallarmé, Stéphane, 165
Maluenda, Rafael, 93
Manrique, Jorge, 119
Mármol, José, 61
Martí, José, 62
Mauclair, Camille, 17
Maupassant, Guy de, 96, 100
Mendès, Catulle, 64
Miomandre, Francis de, 58
Mirabeau, comte de (Gabriel Honoré de Riquetti), 108
Mistral, Frédéric, 81
«Mistral, Gabriela» (Lucila Godoy Alcayaga), 176
Moniz, Gonzalo, 159
Montepin, Xavier de, 24, 100
Muir, Edwin, 74, 75
Musset, Alfred de, 22

Nervo, Amado, 56
Nietzsche, Friedrich Wilhelm, 16, 105
Nordau, Max, 9

Olmedo, José Joaquín, 61
Omar Khayyam, 196
Onís, Federico de, 3–4
Ortiz de Zárate, Julio, 192

Pardo, Miguel Eduardo, 64, 73, 74, 75, 76
Parra, Teresa de la, 65
Payró, Roberto J., 146
Pereda, José María de, 75
Pérez de Ayala, Ramón, 123, 132

Pérez Galdós, Benito, 24, 96
Picón Febres, Gonzalo, 64
Picón Salas, Mariano, 65
Pillement, Georges, 18, 158
Platón, 196
Pocaterra, José Rafael, 65
Poe, Edgar Allan, 7, 11, 17, 193
Poincaré, Henri, 128
Ponson du Terrail, 24, 100
Prado, Pedro, 56, 93, 94, 132, 161–197
Proust, Marcel, 66, 112, 142, 150, 165
Puvis de Chavannes, P. C., 82

Quevedo, Francisco de, 126

Ratcliff, Dillwyn F., 70
Ravel, Maurice, 128
Reyes, Alfonso, 17
Reyles, Carlos, 113
Ried, Alberto, 174
Rimbaud, Arthur, 78
Rivas, Duque de, 187
Rivera, José Eustasio, 112
Rodenbach, Georges, 78
Rodin, Auguste, 101
Rodó, José Enrique, 62, 63, 87, 166
Rodríguez Larreta, Enrique, 113, 139, 146
Rojas, Ricardo, 139
Rolland, Romain, 142
Romains, Jules, 108, 139
Rostand, Edmond, 100
Rousseau, Jean Jacques, 22, 43, 113, 144

Saavedra, Angel de (véase Rivas, Duque de)
Samper, Daniel, 113
Santiván, Fernando, 57, 93
Sarmiento, Domingo Faustino, 166
Schopenhauer, Arthur, 16
Schumann, Robert, 77

Scott, Walter, 75
Selva, Salomón de la, 3
Silva, José Asunción, 61, 62
Silva Castro, Raúl, 108, 184
Sócrates, 113
Souza, Claudio de, 159
«Stendhal» (Beyle, Henri Marie), 165
Stevenson, R. L., 75

Tagore, Rabindranath, 195
Teresa de Jesús, Santa (Teresa de Cepeda y Ahumada), 17, 56
Tolstoi, Leo Nikolaievich, 143, 144, 148
Torres Bodet, Jaime, 94
Torres-Rioseco, Arturo, 55, 92, 112
Trigo, Felipe, 100

Unamuno, Miguel de, 124
Urbaneja Achelpohl, Luis Manuel, 63, 65
Uslar Pietri, Arturo, 65

Valera, Juan, 75, 113
Valéry, Paul, 128
Valle-Inclán, Ramón del, 55, 85–86, 87
Vargas Vila, José María, 94, 100, 128, 140
Vega, Ventura de la, 114
Verlaine, Paul, 82

Walsh, Thomas, 196
Wast, Hugo, 94, 139
Wilde, Oscar, 100

Zamacois, Eduardo, 24
Zavala Muniz, Justino, 112
Zola, Emile, 23, 34, 100, 108, 109, 112, 140, 141, 143, 148, 156
Zorrilla, José, 187
Zumeta, César, 65

INDICE DE OBRAS

A través de libros y de autores, 54
Alsino, 56, 165, 179–190, 194, 198
Androvar, 165, 194, 195, 196, 198
«Anuario hidrográfico chileno», 177
Atala, 43
Azul, 17, 62

Bandido (El), 111
Bruges la morte, 78
Busca (La), 115

Camino de perfección, 81, 82, 88
Caminos de la muerte (Los), 150,158
Canaán, 112, 113
Cántico espiritual (El), 147, 153, 158
Canto a Teresa, 22
Cap Polonio, 133
Caranchos de la Florida (Los), 146
Casamiento de Laucha (El), 146
Casandra, 96
Casticismo y americanismo en la
    obra de Rubén Darío, 112
Castillo de Elsinor (El), 64
Cautiverio, 158
Casa abandonada (La), 168–174, 198
«Cojo ilustrado» («El»), 63, 64, 88
Cóndor (El), 64
Confidencias de Psiquis, 63, 88
Contes à Ninon, 23
Correspondance (à Mme X***), 142
«Cosmópolis», 64
Criollos en París, 126–132, 133
Crónica de un crimen, 112
Cuentos (de G. Nájera), 62
Cuentos de color, 88
Cuentos de todos colores, 100, 133
Cuna de Esmeraldo (La), 101–105,
    133

Chemins de la mort (Les), 158
Chica del Crillón (La), 133
Chile y los chilenos, 105
Chileno en Madrid (El), 114–118,
    132, 133

De mis romerías, 63, 88
Del Natural, 23–24, 58
Devce Z. Jatek (Historia de arrabal),
    159
Diario de Gabriel Quiroga (El), 138
Dionysos, 64
Doctor Bebé (El), 65
Don Quijote de la Mancha, 148, 149
Don Segundo Sombra, 112, 146, 147,
    190
Donde comienza a florecer la rosa,
    170
Doña Bárbara, 112, 190

Eduardo Barrios, novelista chileno,
    55
L'Education sentimentale, 37, 38, 41,
    42, 69, 142
Egloga de verano, 88
Embrujo de Sevilla (El), 113
Emperor Jones (The), 166
En este país, 63
Enigma interior (El), 138
Ensayos sobre arquitectura y poesía,
    176
Escenas de la época de Rosas, 158
Escenas de la guerra del Paraguay,
    144, 148, 155, 156, 158
Escondida senda (La), 64
L'Evangéliste, 141

Fieras del trópico (Las), 10
Flores de cardo, 165, 167, 178, 179

Gaucho de los Cerrillos (El), 158
General Quiroga (El), 158
Gloria de Don Ramiro (La), 113
Graziella, 43

Hechizado (El), 12–13
«Heraldo» («El»), (Valparaíso), 177
Hermano asno (El), 44–57, 58
«Hispania», 55

Historia de arrabal, 143, 147, 152, 158
Hombre de hierro (El), 64
Hombre de los ojos azules (El), 138
Hombre de oro (El), 64
Hombre en la montaña (El), 113
Hombre que parecía un caballo (El), 3, 4–7, 10, 17, 18
Hombre verde (El), 12
Hombres en soledad, 157, 158
L'Homme qui ressemblait à un cheval, 18
Hommes de bonne volonté (Les), 108
Humaitá, 150, 158

«Ideas», 137
Idolos rotos, 64, 67–76, 82, 88
Ifigenia, 65
In a Forschtot (Historia de arrabal), 159
Inseguridad de la vida obrera (La), 138
Inútil (El), 94, 107, 120, 128, 133

Jardín del amor (El), 113
Jornadas de agonía, 145, 150, 158, 159
Juez rural (Un), 165, 190–194, 198
Julián: bosquejo de un temperamento, 64

Lanzas coloradas, 65
Lazarillo de Tormes (El), 149
Leiden des jungen Werther (Die), 43
«Living Age», 18
Los de abajo, 112
Los Diez, 176
Luciérnaga (La), 190
Luna de miel y otras narraciones, 158

Llamado del mundo (El), 179

Madame Bovary, 24
Maestra normal (La), 138, 139, 140, 141, 145, 146, 147, 148, 149, 156, 157, 158, 159

Main Street, 156
Mal metafísico (El), 140, 141, 146, 147, 148, 156, 158
Mal metaphysico (O), 159
Manuel Aldano, 7–9, 18
Margarita de Niebla, 94
María, 44, 111, 113, 152
Memorias de Mamá Blanca, 65
Mercredi Saint, 158
Miércoles santo, 148, 154, 157, 158, 159
Mirella, 81
Monstruo (El), 94, 98, 100, 107, 120, 128, 133
Muerte de Vanderbilt (La), 109–111, 132, 133
Mujer muy moderna (Una), 158
Mundo de los Maharachías (El), 13, 18
Mundo imaginario, 65

Nacha Regules, 137, 138, 139, 141, 142, 143, 144, 145, 147, 148, 156, 158, 159, 160
«Nación» («La»), 93, 176
Nana, 143
Niebla, 124
Nieve y lodo, 64
Niño que enloqueció de amor (El), 25–30, 42, 57, 58
Noches en el palacio de la Nunciatura (Las), 12, 18
Nouvelle Héloïse (La), 43
Novelas y novelistas, 96, 118
Nuestra América, 103
Nuestra Señora de los locos, 10–11
Nuevo Testamento, 56

Odisea de Tierra Firme, 65
Oficina de paz de Orolandia (La), 14, 18
L'Ombre du cloître, 158
Oración del hermano arquitecto, 176
Otra América (La), 34
Our Lady of the Afflicted, 18
Ovejas y las rosas del Padre Serafín (Las), 88

Páginas de un pobre diablo, 58
Pájaros errantes (Los), 173–174
Pampa y su pasión (La), 147, 148, 158
Panorama de la literatura chilena durante el siglo XX, 56, 57, 175
Panther Man (The), 18
Pepita Jiménez, 113
Peregrina o el pozo encantado, 79–87, 88
Plumed Serpent (The), 108

Raza de bronce, 112
Registro de huéspedes, 65
Reina de Rapa Nui (La), 176–179, 198
Reino interior (El), 85
René, 43
Resurrección de Arévalo Martínez, 4
Retratos literarios, 108, 184
«Revista de Estudios Hispánicos», 4
«Revue de l'Amérique Latine», 18, 58, 87
Romance de un gaucho (El), 190
Roto (El), 99, 101, 102, 104, 105–109, 111, 115, 132, 133
Rousseau and Romanticism, 145

Sangre patricia, 76–79, 88
Semblanzas literarias contemporáneas, 123
Sendero de humildad, 138
Sensaciones de viaje, 63, 88
Sentas, 18
Señor Monitot (El), 10, 11, 18
Sermones líricos, 88
Signatura de la esfinge (La), 12, 13, 18
Solar de la raza (El), 138

Soledades, 194
Sombra del convento (La), 140, 141, 146, 147, 158
Sonata de primavera, 85, 86
Structure of the Novel (The), 75

Terre (La), 140
Tirana ley, 24–25
Todo un pueblo, 64, 73, 74, 76
Tragedia de un hombre fuerte (La), 141, 143, 147, 150, 153, 158
Tragedia del Titanic (La), 100, 110, 133
Trasmundo, 94
Tristán e Isolda, 81

Ultime lettere de Jacopo Ortis (Le), 43
Ulyses, 108
Un perdido, 23, 30–42, 44, 57, 58

Valparaiso, la ciudad del viento, 118–126, 130, 133
Venezuelan Prose Fiction, 70
Ventre de Paris (Le), 143
Viaje a Ipanda, 14–16, 18
Viajero (El), 172
Vida (Una), 7, 18
Vida de Hipólito Irigoyen (La), 157, 158
Vida múltiple (La), 138
Vidas oscuras, 65
Vorágine (La), 112

Y la vida sigue, 21, 22, 23, 27, 28, 29, 58

Zogoibi, 147
Zoraida, 113